nuevo
español
2000

NIVEL MEDIO

NIVEL MEDIO

libro del alumno

Jesús Sánchez Lobato
Nieves García Fernández

nuevo

español 2000

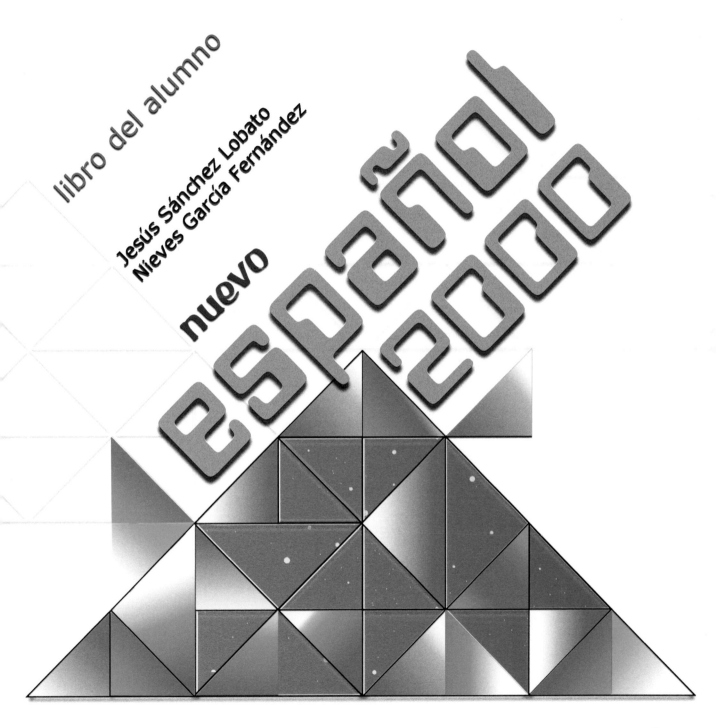

SGEL

SOCIEDAD GENERAL ESPAÑOLA DE LIBRERÍA, S.A.

ele
Español Lengua Extranjera

Primera edición, 1981
Segunda edición, 1983
Tercera edición, 1999
Cuarta edición, 2002
Quinta edición, corregida y aumentada, 2007
Sexta edición, 2013

Produce:
SGEL Educación
Avda. Valdelaparra, 29 - 28108 ALCOBENDAS - MADRID

© Jesús Sánchez Lobato y Nieves García Fernández, 1981, 2007
© Sociedad General Española de Librería, 2007
   Avda. Valdelaparra, 29 - 28108 ALCOBENDAS (MADRID)

Fotografías: Archivo SGEL, Cordon Press, S. L., Gettyimages
Ilustraciones: Maravillas Delgado
Diseño de interiores: Grafismo Autoedición, C. B.
Maquetación: Grafismo Autoedición, C. B.
Cubierta: Érika Hernández

ISBN: 978-84-9778-304-0
Depósito Legal: M-27935-2007
Impreso en España - Printed in Spain

Imprime: Gráficas Rógar, S. A.

Presentación

El **Nuevo Español 2000,** *tras un largo periplo de experimentación, se presenta al estudiante de español con renovada ilusión y con los interiores mejor ajustados para servir con eficacia a su fin primordial: proporcionar los mecanismos necesarios para acceder a la lengua española y, por ende, a su cultura plural.*

El **Nuevo Español 2000** *está estructurado en los tres niveles ya convencionales: Elemental, Medio y Superior. Creemos, pese a su convencionalismo, que tal distribución cumple una extraordinaria función didáctica y pedagógica: cada uno de los niveles está programado de tal modo que, por sí mismos, cumplen las exigencias de programación del año escolar de cualquier institución dedicada al quehacer de la enseñanza del español como segunda lengua.*

El **Nuevo Español 2000** *pretende ser un método ágil, en el que lo situacional, lo conversacional y los mecanismos de la lengua corran paralelos, pero perfectamente graduados según los niveles que lo componen. En cada uno de ellos subyace como punto de partida la norma culta del español, pero tendiendo siempre a incrustarse en lo más vivo y expresivo de la lengua, en la expresión oral culta.*

El **Nuevo Español 2000** *es consciente de la abnegada labor del profesor, dedicado a la enseñanza de lenguas, y del papel primordial que este método le confiere.*

A él, en particular, y a sus alumnos, en general, va dedicado este método.

Los Autores

NUEVA EDICIÓN ACTUALIZADA

A lo largo de estos últimos años, *Español 2000* se ha enriquecido con las aportaciones que nos han hecho llegar tanto profesores como alumnos. El método *Español 2000* ya había hecho suyos los principios básicos de las corrientes lingüísticas más productivas en relación a la enseñanza de lenguas.

La extraordinaria aceptación que este método sigue teniendo entre profesores y alumnos es motivo de satisfacción para los autores y para el editor, que comprueban día a día que el principio que lo inspiró sigue siendo ahora tan válido como entonces.

El *Nuevo Español 2000* explicita las pautas lingüísticas más asentadas y experimentadas en la enseñanza del español, de ahí su rotundo éxito entre profesores y alumnos. Por ello el *Nuevo Español 2000* seguirá siendo un método extraordinario para aprender español.

Esta convicción es la que nos ha llevado a preparar esta edición, totalmente renovada y actualizada. Aunque se mantiene la misma estructura del método y básicamente los mismos contenidos, se han revisado múltiples aspectos, y se ha mejorado sustancialmente el diseño, las ilustraciones y los documentos que acompañan al texto.

Nuestro interés y nuestra esperanza es que el *Nuevo Español 2000* siga siendo útil a los estudiantes que desean acercarse a conocer la lengua y cultura españolas.

Contenidos

Contenidos

Contenidos

Lección 1

Una entrevista con el jefe de personal

El jefe: Buenos días, señorita. Tome asiento, por favor. ¿En qué puedo servirle?

Pilar: Buenos días. Vengo a informarme sobre el anuncio que ustedes publicaron ayer en el periódico, en el que solicitaban una secretaria para la sección de correspondencia con el extranjero.

El jefe: ¡Ah, sí! ¿Ha traído usted su currículum vítae y el carné de identidad?

Pilar: Sí, aquí los tiene. ¿Tengo que hacer algún examen?

El jefe: Primero le haré unas preguntas, y mañana tendrá usted que hacer unas pruebas prácticas. Vamos a ver, ¿ha trabajado usted antes en alguna empresa?

Pilar: Sí, el año pasado estuve de secretaria en una oficina de seguros y este año he trabajado como traductora de inglés en una empresa comercial. Ahora estoy en paro porque la empresa tuvo que cerrar por suspensión de pagos.

El jefe: ¿Cuántos años ha estudiado usted inglés?

Pilar: En total, cinco años. En mil novecientos noventa y seis me fui a Londres para perfeccionar mis conocimientos. Por las mañanas trabajaba como chica *au-pair* en casa de una familia inglesa que tenía dos niños pequeños. Por las tardes iba a clase a una academia privada, donde obtuve el certificado que adjunto en mi currículum vítae.

El jefe: Muy bien, de acuerdo. Como usted habrá leído en nuestro anuncio, la jornada laboral en nuestra empresa es de ocho a tres de la tarde, excepto sábados. El sueldo que ofrecemos es de mil euros mensuales más dos pagas extraordinarias. Si usted es admitida, tendrá derecho a veintiocho días de vacaciones al año.

Pilar: ¿A qué hora serán mañana las pruebas y en qué consistirán?

El jefe: Mañana empezaremos a las ocho en punto. Les haremos a todos los candidatos un dictado y una traducción del inglés al español. También les examinaremos sobre sus conocimientos de informática para constatar qué sistemas operativos manejan.

Pilar: De acuerdo. Muchas gracias por su información y hasta mañana.

El jefe: Hasta mañana, señorita, ¡y sea usted puntual!

LA EMPRESA EN CIFRAS

50   15   5   30

Preguntas

1. ¿Para qué se entrevista Pilar con el jefe de personal?
2. ¿Qué se solicita en el anuncio publicado en el periódico?
3. ¿Tiene Pilar experiencia como secretaria?
4. ¿Por qué está Pilar ahora en paro?
5. ¿Cuándo se fue Pilar a Londres y qué hizo allí?
6. ¿Qué conocimientos de inglés tiene Pilar?
7. ¿Cuál es la jornada laboral de la empresa? ¿Y el sueldo?
8. ¿A cuántos días de vacaciones tendrá derecho Pilar si es admitida?
9. ¿En qué consistirán las pruebas que tendrá que hacer Pilar para ser admitida?
10. ¿En qué trabaja usted? ¿Por qué ha escogido usted la profesión que tiene?

Esquema gramatical 1

Recuerde

Pretérito imperfecto de indicativo

	-ar	-er	-ir
	trabajar	comer	vivir
(yo)	trabaj-*aba*	com-*ía*	viv-*ía*
(tú)	trabaj-*abas*	com-*ías*	viv-*ías*
(él, ella, usted)	trabaj-*aba*	com-*ía*	viv-*ía*
(nosotros/as)	trabaj-*ábamos*	com-*íamos*	viv-*íamos*
(vosotros/as)	trabaj-*abais*	com-*íais*	viv-*íais*
(ellos, ellas, ustedes)	trabaj-*aban*	com-*ían*	viv-*ían*

Irregulares

ser ⟶ era   ir ⟶ iba

Usos:
a. Acción contemplada como durativa.
   Cuando éramos jóvenes, sólo queríamos pasarlo bien.
b. Acciones repetitivas en el pasado.
   Por las mañanas iba a una academia de idiomas.
c. Descripciones en el pasado.
   Mi abuelo era catalán, tenía el pelo completamente blanco y siempre estaba de buen humor.

1 Utilice el pretérito imperfecto

Ahora llueve muy poco en invierno.   —*Antes llovía más.*

1. Ahora hay mucho tráfico en esta carretera.   –_____
2. Ahora estoy más delgada.   –_____
3. Yo ahora fumo poco.   –_____
4. Nosotros ahora no tenemos coche.   –_____
5. Usted ahora juega muy bien al tenis.   –_____
6. Ella ahora habla inglés muy bien.   –_____
7. Vosotros ahora vais menos al cine.   –_____
8. Él ahora apenas trabaja.   –_____
9. Ellos ahora salen muy poco de casa.   –_____
10. Esta calle es ahora muy ruidosa.   –_____

2 Ponga en imperfecto el verbo que está entre paréntesis

1. Mi abuelo _____ (ir) todos los domingos al fútbol.
2. Cuando yo _____ (ser) niño, _____ (tener) miedo de las tormentas.
3. Mientras ella _____ (hacer) la comida, él _____ (poner) la mesa.
4. Siempre que él nos _____ (visitar), nos _____ (traer) flores.
5. Cuando nosotros _____ (estudiar) en Salamanca, _____ (soler) comer en un restaurante muy económico.
6. Todos los fines de semana Rodrigo _____ (dar) un paseo por el parque.
7. Cada vez que él nos _____ (ver), nos _____ (pedir) dinero.
8. La casa en donde mis abuelos _____ (vivir) _____ (tener) un jardín grandísimo.
9. Nuestro padre _____ (ser) un hombre muy liberal y siempre _____ (estar) dispuesto a dialogar con nosotros.
10. El niño _____ (estar) enfermo desde _____ (hacer) dos días.

Esquema gramatical 2

Pretérito indefinido de indicativo

	-ar trabajar	-er comer	-ir vivir
(yo)	trabaj-*é*	com-*í*	viv-*í*
(tú)	trabaj-*aste*	com-*iste*	viv-*iste*
(él, ella, usted)	trabaj-*ó*	com-*ió*	viv-*ió*
(nosotros/as)	trabaj-*amos*	com-*imos*	viv-*imos*
(vosotros/as)	trabaj-*asteis*	com-*isteis*	viv-*isteis*
(ellos, ellas, ustedes)	trabaj-*aron*	com-*ieron*	viv-*ieron*

andar:	anduve, anduviste, anduvo, anduvimos, anduvisteis, anduvieron.
caber:	cupe, cupiste, cupo, cupimos, cupisteis, cupieron.
conducir:	conduje, condujiste, condujo, condujimos, condujisteis, condujeron.
decir:	dije, dijiste, dijo, dijimos, dijisteis, dijeron.
estar:	estuve, estuviste, estuvo, estuvimos, estuvisteis, estuvieron.
haber:	hube, hubiste, hubo, hubimos, hubisteis, hubieron.
hacer:	hice, hiciste, hizo, hicimos, hicisteis, hicieron.
conducir:	conduje, condujiste, condujo, condujimos, condujisteis, condujeron.
ir/ser:	fui, fuiste, fue, fuimos, fuisteis, fueron.
poder:	pude, pudiste, pudo, pudimos, pudisteis, pudieron.
poner:	puse, pusiste, puso, pusimos, pusisteis, pusieron.
querer:	quise, quisiste, quiso, quisimos, quisisteis, quisieron.
traer:	traje, trajiste, trajo, trajimos, trajisteis, trajeron.
tener:	tuve, tuviste, tuvo, tuvimos, tuvisteis, tuvieron.
venir:	vine, viniste, vino, vinimos, vinisteis, vinieron.

Usos:

a. Acción cerrada (contemplada como concluida en el pasado).
Cuando terminó el programa de televisión, nos fuimos a dormir.

b. Acción única en el pasado.
Mi hijo nació en 1988.

3 Utilice el indefinido

Hoy hace mucho frío./*Ayer*   —*Ayer hizo mucho frío.*

1. Esta semana tengo mucho trabajo./*La semana pasada*
   —_____

2. Hoy no podemos ir a pasear./*Ayer*
   —_____

3. Este jueves es día de fiesta./*El jueves pasado*
   —_____

4. Este año María está estudiando inglés en Londres./*El año pasado*
   —_____

5. Él viene esta tarde en tren./*Ayer por la tarde*
   —_____

6. El próximo domingo vamos a la ópera./*El domingo pasado*
   —_____

7. Hoy por la noche hay un concierto de rock./*Ayer*
   —_____

8. Ellos viven ahora en París./*El año pasado*
   —_____

9. La radio retransmite hoy un partido muy interesante./*Ayer*
   —_____

10. Ella trabaja ahora en una empresa extranjera./*El mes pasado*
    —_____

4 Ponga en indefinido el verbo que está entre paréntesis

1. Pablo Neruda _____ (nacer) en Chile en 1904 y _____ (morir) en Santiago en 1973.

2. En 1484 Colón _____ (llegar) a España y _____ (hablar) con los Reyes Católicos sobre su idea de ir a la India por el Atlántico.

3. Los árabes _____ (estar) en España desde el año 711 hasta el año 1492.

4. La primera parte de *El Quijote* _____ (aparecer) en Madrid en 1605; diez años más tarde se _____ (publicar) la segunda parte.

5. Pablo Picasso (1881-1975) _____ (ingresar) a los diez años en el Instituto de Enseñanza Media de la Guarda, donde _____ (dar) sus primeros pasos artísticos.

6. La Expo'92 _____ (celebrarse) en Sevilla.

7. En 1998 España _____ (integrarse) en la moneda única europea.

8. El huracán Mitch _____ (arrasar) Centroamérica y _____ (causar) más de 1.000 muertos.

9. La OTAN _____ (ordenar) atacar Yugoslavia en marzo de 1999.

10. Günter Grass _____ (recibir) el Premio Nobel de Literatura en ese mismo año.

Esquema gramatical 3

Pretérito perfecto de indicativo: presente de indicativo de haber + participio de perfecto

Pretérito pluscuamperfecto de indicativo: pretérito imperfecto de indicativo de haber + participio de perfecto

	Presente	Imperfecto	-ar	-er	-ir
(yo)	he	había			
(tú)	has	habías			
(él, ella, usted)	ha	había	comprado	comido	salido
(nosotros/as)	hemos	habíamos			
(vosotros/as)	habéis	habíais			
(ellos, ellas, ustedes)	han	habían			

Verbos en -ir			Verbos en -er		
abrir	⟶	abierto	poner	⟶	puesto
cubrir	⟶	cubierto	reponer	⟶	repuesto
decir	⟶	dicho	resolver	⟶	resuelto
escribir	⟶	escrito	romper	⟶	roto
hacer	⟶	hecho	ver	⟶	visto
morir	⟶	muerto	volver	⟶	vuelto

Usos del pretérito perfecto:

a. Acción acabada en un pasado asociado al presente.
Hoy ha llovido mucho.

b. Se usa con las siguientes expresiones temporales: hoy, hasta ahora, esta mañana, esta semana, este mes, este año…
Esta mañana he estado en el Rastro.

Usos del pretérito pluscuamperfecto:

Acción pasada, acabada en un momento dado del pasado.
Cuando llegamos a su casa, él ya se había ido.

5 Forme el pretérito perfecto

Él viene hoy.   –*Él ha venido hoy.*

1. Hoy vamos al concierto.   –_____

2. Esta tarde me quedo en casa.   –_____

3. El herido tiene que ser operado enseguida.   –_____

4. Hoy hace mucho frío.   –_____

5. Él siempre nos ayuda.   –_____

6. Este fin de semana no podemos jugar al tenis.   –_____

7. Mi hermano termina este año sus estudios.   –_____

8. Esta semana estoy muy ocupado.   –_____

9. La función de teatro empieza hoy a las 7.   –_____

10. Hoy hay paella de primer plato.   –_____

Imperfecto/indefinido

Cuando me desperté, ya era de día.

Ayer no _____ (ir) a trabajar porque le _____ (doler) mucho la cabeza.

Aunque _____ (llover) a cántaros, ellos _____ (hacer) la excursión.

Como no _____ (haber) entradas para el concierto, _____ (dar) un paseo por el parque.

Cuando ella _____ (estar) en Londres, la vida _____ (ser) más barata.

Mi coche _____ (derrapar) porque la carretera _____ (estar) muy resbaladiza.

La casa donde nosotros _____ (vivir) antes _____ (tener) un hermoso jardín.

La obra que _____ (ver) ayer nos _____ (gustar) mucho.

El avión no _____ (poder) salir porque _____ (haber) mucha niebla.

Cuando ella se _____ (casarse), sólo _____ (tener) 18 años.

6 Conjugue el verbo entre paréntesis en pretérito perfecto o pluscuamperfecto

1. Cuando te _____ (llamar) esta mañana, tú ya te _____ (ir).

2. No sé dónde _____ (poner) mis gafas.

3. Nosotros no _____ (poder) ir al concierto porque se _____ (agotar) las entradas.

4. Ella _____ (estar) enferma toda la semana.

5. Cuando salimos de viaje, aún no _____ (amanecer).

6. Los niños _____ (romper) el cristal de la ventana jugando al fútbol.

7. Esta mañana no _____ (abrir) las panaderías por estar los panaderos en huelga.

8. Cuando ellos llegaron a la estación, el tren ya _____ (salir).

9. Tú no me _____ (decir) todavía nada del asunto.

10. Cuando llegó Pedro, nosotros ya _____ (comer).

Esquema gramatical 4

Futuro imperfecto - futuro perfecto de indicativo

Formas regulares

Futuro imperfecto		Futuro perfecto	
(yo) comprar-, ver-, ir-	é	habré	
(tú)	ás	habrás	
(él, ella, usted)	á	habrá	
(nosotros/as)	emos	habremos	comprado / visto / ido
(vosotros/as)	éis	habréis	
(ellos, ellas, ustedes)	án	habrán	

Formas irregulares

caber	→	cabr-		querer	→ querr-
decir	→	dir-		reponer	→ repondr-
haber	→	habr-		saber	→ sabr-
hacer	→	har-		salir	→ saldr-
poder	→	podr-		tener	→ tendr-
poner	→	pondr-		valer	→ valdr-

-é
-ás
-á
-emos
-éis
-án

Usos del futuro imperfecto:

a. Acción futura en relación al momento en que se habla.
   Mañana iremos de excursión a Toledo.

b. Para expresar probabilidad, suposición.
   Pedro estará ya en casa.

Usos del futuro perfecto:

a. Acción futura que ya habrá acabado en un momento dado del futuro.
   Cuando llegues, ya habré preparado la comida.

b. Para expresar probabilidad de una acción terminada en el pasado.
   Ellos ya habrán llegado a casa.

7 Complete el diálogo utilizando los siguientes verbos en futuro

Llamar, volver, estar, tener, hacer, salir, brillar, ir, reservar, pasar, solucionar.

Pepe: ¿Cuándo os marcháis de viaje?

María: Nos _____ mañana, después de comer.

Pepe: ¿Habéis hecho ya las maletas?

María: No, las _____ esta tarde.

Pepe: ¿Habéis reservado hotel?

María: No sé si Carlos nos lo _____ ya. Le _____ ahora para preguntárselo. Seguramente él ya _____ en casa. ¡Hola, Carlos!, ¿te has acordado de reservarnos hotel?

Carlos: Sí, pero hasta el momento no he encontrado nada. Esta tarde _____ a intentarlo y si no hay suerte, _____ que dormir en el *camping*.

María: ¿No _____ todavía mucho frío para hacer *camping*?

Carlos: ¡Qué va! Hoy está lloviendo, pero mañana ya _____ la borrasca y _____ de nuevo el sol. ¿A qué hora _____ mañana de Barcelona?

María: A las cuatro. Supongo que a las siete ya _____ ahí.

Carlos: Muy bien, y no te preocupes. Mañana, cuando lleguéis, yo ya _____ todo. De todas formas, no olvidéis traeros la tienda de campaña. Buen viaje y hasta mañana.

María: Gracias por todo y hasta mañana.

Uso de los tiempos de indicativo

Este verano _____ (pasar) las vacaciones en un hotel de la Costa del Sol que nos _____ (recomendar) unos amigos.

Todas las mañanas _____ (ir) a la playa. A veces nos _____ (quedar) allí a comer, pero, por lo general, _____ (volver) al hotel y, después de comer, _____ (dormir) un poco la siesta.

El primer fin de semana _____ (hacer) una excursión a Granada. Aunque yo ya _____ (estar) varias veces en esta ciudad, mi mujer y mis hijos no _____ (conocer) aún la Alhambra y a mí me _____ (apetecer) recordar viejos tiempos.

El único día que _____ (amanecer) nublado nos _____ (ir) con unos amigos a ver las Cuevas de Nerja, que _____ (estar) a unos 60 kilómetros de Málaga. Estas cuevas _____ (ser) una maravilla de la naturaleza y _____ (servir) de escenario natural para conciertos, ballet, etcétera.

Muchas tardes _____ (alquilar) un coche y _____ (recorrer) los pueblos de los alrededores. Mijas es el pueblo que más nos _____ (gusta), pues _____ (tener) unas vistas preciosas sobre el mar.

Creo que el próximo año _____ (ir) otra vez allí porque nos lo _____ (pasar) muy bien y nuestros hijos _____ (hacer) muy buenos amigos.

Una entrevista con el jefe de personal

8 Conjugue estos verbos en el tiempo de indicativo más adecuado

_____ (recordar) aquella tarde. Pajarito de Soto _____ (venir) a buscarme a la salida del despacho y _____ (tiritar) con las manos en los bolsillos. No _____ (llevar) abrigo, porque no _____ (tener). No _____ (hacer) ni dos horas que yo _____ (dejar) a Teresa en su casa. _____ (caminar) charlando por la Gran Vía y nos _____ (sentarse) en los jardines de la reina Victoria Eugenia. Pajarito de Soto me _____ (hablar) de los anarquistas, yo le _____ (decir) que nada _____ (saber).

–¿_____ (estar) interesado en el tema?

–Sí, por supuesto –le _____ (decir) más por agradarle que por ser sincero.

–Entonces, ven. Te _____ (llevar) a un sitio interesante.

–Oye, ¿no _____ (ser) peligroso? –_____ (exclamar) alarmado.

–No temas, ven.

EDUARDO MENDOZA (1943-), *La verdad sobre el caso Savolta*

Ejercicio de acentuación

Durante cuatro horas la ventana permanecio cerrada. Unos metros mas arriba, las luces de la terraza seguian festejando la noche, y el, sentado en el tronco cortado de un pino, con el menton entre las manos y los ojos clavados en aquella ventana, creyo estar viviendo las horas mas atroces de su existencia. Notaba frio en la espalda, y algo en su interior, alla dentro en las entrañas, empezaba a segregar la vieja tristeza que de niño corria por su sangre. «No quiere –se decia–, no quiere». Oia musica de discos y vio llegar a un hombre en un coche, al que se recibio con alegres gritos de bienvenida.

JUAN MARSÉ (1933-), *Últimas tardes con Teresa*

Ejercicio de puntuación

Habían llegado muy de mañana en el autobús con el resto de la colonia que la guerra sorprendió a mitad del verano desde que el frente cortó el ferrocarril dejando en la otra zona al padre los tres la madre y los dos hijos iban retrocediendo alejándose más acatando las órdenes de evacuar los días pasaban en procesión fugaz como los pueblos los trenes cargados de soldados los nuevos jefes de control que cada mañana conocían aldeas blancas solas ancianos impasibles niños desconocidos mirando sin saludar sentados a horcajadas en las arribas de la carretera.

JESÚS FERNÁNDEZ SANTOS (1926-1988), *Cabeza rapada*

GRUPO TRIGEMER SELECCIONA PARA SUS OBRAS EN LA COMUNIDAD DE MADRID Y EN LA PROVINCIA DE CUENCA:

JEFES DE OBRA CIVIL (Ref:1)

JEFES DE OBRA EDIFICACIÓN (Ref:2)

JEFES DE PRODUCCIÓN CIVIL (Ref:3)

JEFES DE PRODUCCIÓN EDIFICACIÓN (Ref:4)

ENCARGADOS (Ref:5)

CAPATACES (Ref:6)

OFICIALES Y AYUDANTES (Ref

Interesados enviar C.V. urgente al fax: 95 542 03 03 o al mail rrhh@comme... indicando la referencia del puesto

Concesionario oficial de Automóviles
Precisa:

**MECÁNICOS CON EXPERIENCIA
VENDEDOR VEHÍCULOS NUEVOS
AYUDANTE DE RECAMBIOS
AUXILIAR DE GARANTÍAS
RECEPCIONISTA DE TALLER**

Interesados enviar C.V. al fax 91 444 06 94

Grupo de Empresas precisa para su Departamento Jurídico:

ABOGADO

(Ref: A)

Buscamos un profesional, licenciado en derecho y con experiencia demostrada de, al menos, tres o cuatro años en el ejercicio, dentro de un despacho profesional o asesoría jurídica de empresa, preferentemente en el sector industrial o constructor.

Se valorará la experiencia práctica en tribunales y amplios conocimientos en materia de Derecho Civil y Administrativo. Perfil proactivo, resolutivo, con capacidad de análisis, buen comunicador y con un alto sentido corporativo.

Lugar de trabajo: Madrid • Disponibilidad para viajar.

Se ofrece incorporación inmediata a organización en plena expansión, retribución acorde a la experiencia demostrada y valía profesional.

¿Hablamos? / Hablemos

¿En qué trabajas? ¿En qué consiste tu trabajo? ¿Te gusta lo que haces? ¿Trabajas mucho? ¿En tu país la oferta de trabajo es buena? ¿Hay posibilidades de trabajo?

Recordamos pautas conversacionales

Para saludar, recibir, reclamar la atención y despedirse de alguien, empleamos:

– ¿Qué tal?; Buenas; ¿Qué hay?; ¿Cómo te va?; ¿Tú por aquí?; Anda, ¡qué sorpresa!

– ¡Entra, entra!; ¡Pase, pase!; ¡Adelante!, estaba esperándote(le).

– ¡Oye / oiga, por favor!; ¡Escucha/e, escucha/e!

– ¡Hasta la próxima!; ¡Adiós, adiós…!; Hasta mañana; Hasta la vista; Hasta luego; Hasta pronto; Hasta ahora.

Una entrevista con el jefe de personal

Una tarde en el cine

Pedro: ¿Quieres que vayamos esta tarde al cine?

María: Quizá sea mejor que vayamos al teatro, ¿no?

Pedro: No me agrada la idea. Me temo que no haya mucho donde elegir. Casi todas las obras que están ahora en cartelera son experimentales y bastante malas.

María: Entonces vamos al cine, me es lo mismo. ¿Dónde ponen una buena película?

Pedro: Aquí tienes la cartelera. Elige tú misma. Yo me conformo con que la película que elijas no sea muy desagradable. Lo importante es que pasemos el rato de la mejor manera posible.

María: Creo que en el cine Príncipe proyectan una película americana de un director muy famoso.

Pedro: No te fíes de la fama del director. Puede que sea un director muy bueno, pero la película quizá no lo sea.

María: Bueno, hombre. Si la película no nos gusta, nos salimos del cine y nos vamos a dar una vuelta hasta la hora de cenar.

EN LA TAQUILLA

Pedro: Por favor, dos entradas para la sala dos.

Taquillera: ¿Qué fila prefieren?

Pedro: En el centro, por favor. ¿A qué hora empieza la película?

Taquillera: La película empieza a las siete y media. Antes hay un cortometraje que dura media hora.

Pedro: Aún falta más de un cuarto de hora para que empiece la función. ¿Te apetece que vayamos a tomar un café en aquel bar de la esquina?

María: Muy bien. Aquí en la calle hace bastante frío y si nos quedamos aquí hasta que empiece la película, nos podemos coger un buen resfriado.

Preguntas

1. ¿Adónde quiere ir esta tarde Pedro y adónde quiere ir María?
2. ¿Por qué no le agrada a Pedro ir al teatro?
3. ¿Con qué clase de película se conforma Pedro?
4. ¿Dónde proyectan una película americana y quién es su director?
5. ¿Por qué no se fía Pedro de los directores famosos?
6. ¿Qué le propone María a Pedro si la película no es buena?
7. ¿Qué fila prefieren?
8. ¿Qué proyectan antes de la película principal?
9. ¿Está de acuerdo María con tomar un café en el bar de la esquina? ¿Por qué?
10. ¿Le gusta a usted más el cine o el teatro? ¿Por qué?

Una tarde en el cine

Esquema gramatical 1

	-ar	-er	-ir
	estudiar	beber	abrir
(yo)	estudi-*e*	beb-*a*	abr-*a*
(tú)	estudi-*es*	beb-*as*	abr-*as*
(él, ella, usted)	estudi-*e*	beb-*a*	abr-*a*
(nosotros/as)	estudi-*emos*	beb-*amos*	abr-*amos*
(vosotros/as)	estudi-*éis*	beb-*áis*	abr-*áis*
(ellos, ellas, ustedes)	estudi-*en*	beb-*an*	abr-*an*

USOS: Se refiere a una acción que aún no se ha realizado y que puede presentarse como irreal, probable o posible: *Quiero que escuches a mi hija.*

Vocal característica

Verbos en:	-ar	-er	-ir
Presente de subjuntivo:	**e**	**a**	**a**

Recuerde

Puede expresar duda, probabilidad y, por supuesto, deseos:

> **quizá / tal vez**
> **posiblemente / probablemente**   } + subjuntivo
> **ojalá**

Posiblemente venga.   *Tal vez me escuche.*   *¡Ojalá ganéis!*

1 Ponga en subjuntivo el verbo que está entre paréntesis

1. Quizá nosotros _____ *(quedarse)* hoy en casa.
2. Ojalá el telegrama _____ *(llegar)* aún a tiempo.
3. Probablemente _____ *(ser)* interesante asistir a la conferencia.
4. Tal vez usted _____ *(poder)* ayudarnos a resolver la situación.
5. Quizá _____ *(llover)* mañana.
6. Posiblemente _____ *(ir)* esta tarde con mi madre al médico.
7. Ojalá nos _____ *(volver)* a ver pronto.
8. No es muy probable que él ya _____ *(estar)* en casa.
9. Tal vez _____ *(tener)* ella la culpa de todo.
10. Es muy posible que el tren _____ *(venir)* con retraso.

¿Estás de acuerdo?/Me alegro de ello.

–Me alegro de que estés de acuerdo.

1. ¿Es interesante la película?/
Lo espero.

–_____

2. ¿Sabe Pedro la verdad?/
Lo dudo.

–_____

3. ¿Se va usted ya?/
Lo siento.

–_____

4. ¿Hay mucha cola delante de la taquilla?/
Me lo temo.

–_____

5. ¿No se dan ellos cuenta de la situación?/
Lo dudo.

–_____

6. ¿Está enfermo su padre?/
Lo lamento.

–_____

7. ¿Hay aquí buenas playas?/
No lo creo.

–_____

8. ¿Os vais de vacaciones al mar?/
Me alegro de ello.

–_____

9. ¿Hace buen tiempo en verano?/
Lo espero.

–_____

10. ¿Me das un poco de dinero?/
Te lo pido.

–_____

Esquema gramatical 2

Presente de subjuntivo de verbos irregulares

	dar	estar	haber	saber	ser	ir
(yo)	dé	esté	haya	sepa	sea	vaya
(tú)	des	estés	hayas	sepas	seas	vayas
(él, ella, usted)	dé	esté	haya	sepa	sea	vaya
(nosotros/as)	demos	estemos	hayamos	sepamos	seamos	vayamos
(vosotros/as)	deis	estéis	hayáis	sepáis	seáis	vayáis
(ellos, ellas, ustedes)	den	estén	hayan	sepan	sean	vayan

Aprenda

creo que + indicativo: *Creo que él **ha** encontrado ya trabajo.*

no creo que + subjuntivo: *No creo que él **haya** encontrado ya trabajo.*

3 Siga el modelo

Creo que Luis trabaja demasiado.   *–No creo que Luis trabaje demasiado.*

1. Creo que ellos saben algo del asunto.
   –_____

2. Creo que él va hoy por la mañana a la playa.
   –_____

3. Creo que el trabajo ya está terminado.
   –_____

4. Creo que en ese hotel hay aún habitaciones libres.
   –_____

5. Creo que este problema es bastante difícil de solucionar.
   –_____

6. Creo que esta empresa da muchas facilidades a sus clientes.
   –_____

7. Creo que Pilar es andaluza.
   –_____

8. Creo que ellos dicen la verdad.
   –_____

9. Creo que en el norte de Italia hace mal tiempo en invierno.
   –_____

10. Creo que ellos van mañana de excursión.
    –_____

Esquema gramatical 3

*Te lo digo **para que** lo sepas.*

Para que + presente de subjuntivo

4 Utilice "para"

Te he comprado un reloj./saber la hora.   *–Te he comprado un reloj para que sepas la hora.*

1. Me ha sacado una entrada./ir con él al teatro.
   –_____

2. El padre le ha mandado dinero./pagar el alquiler.
   –_____

3. Les cuento un cuento a los niños./estarse quietos.
   –_____

4. Hemos abierto la ventana./entrar el aire.
   –_____

5. Él le ha regalado a María una foto suya./pensar en él.
   –_____

6. Os he alquilado un coche./ir de excursión.
   –_____

7. Le he llamado a usted./decirme la verdad.
   –_____

8. Les hemos escrito./venir a vernos.
   –_____

9. Han llevado a los niños al zoo./ver los animales.
   –_____

10. Mi padre me ha comprado un ordenador portátil./aprender a manejarlo.
    –_____

Uso del subjuntivo

Carmen tiene que lavar la ropa.
Dile que la lave.

Julio tiene que estudiar más.
Dile que _____

Los niños tienen que hacer los deberes.
Diles que _____

Pedro tiene que arreglar la radio.
Dile que _____

Mercedes tiene que ser más puntual.
Dile que _____

Antonio tiene que estar aquí a las siete.
Dile que _____

Ellos tienen que ir esta tarde a clase.
Diles que _____

Felipe tiene que darme el dinero.
Dile que _____

Isabel tiene que poner la mesa.
Dile que _____

Ellos tienen que devolver mañana el libro a la biblioteca.
Diles que _____

Una tarde en el cine

Recuerde

$$no + subjuntivo = imperativo\ negativo$$

- No corras.
- No corra.
- No corráis.
- No corran.

5 Utilice el presente de subjuntivo con valor de imperativo

Abre la ventana.   –*No abras la ventana.*

1. Cerrad la puerta.   –_____

2. Ponte el abrigo.   –_____

3. Levántese.   –_____

4. Quédate aquí.   –_____

5. Leed este libro.   –_____

6. Entren en esta habitación.   –_____

7. Pasad por esta puerta.   –_____

8. Cuelgue el teléfono.   –_____

9. Díselo a tu hermano.   –_____

10. Vayan deprisa.   –_____

Recuerde

aconsejar
decir
dudar
esperar
mandar
pedir
prohibir
recomendar
rogar
suplicar

+ *que* + subjuntivo

Dice que esperen.

Espero que vengan.

Te pido que trabajes.

Le recomiendo que escuche.

Me suplican que los reciba.

Uso del subjuntivo

¿Comprará Pepe la bicicleta?
¡Ojalá la compre!

¿Vendrá hoy Paco?
Quizá _____

¿Saldrán ellos de viaje?
Es posible que _____

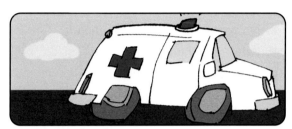

¿Se salvará el enfermo?
¡Ojalá _____

¿Habrá nieve en la sierra?
Es probable que _____

¿Hará mañana buen tiempo?
Quizá _____

¿Llegará él a tiempo?
Tal vez _____

¿Será interesante esta película?
Quizá _____

¿Estarás mañana a las ocho en la oficina?
Es posible que _____

¿Sabrán ellos ya la noticia?
Tal vez _____

6 Siga el modelo

No compres el coche./decir   *–Él me dice que no compre el coche.*

1. No estudies por la noche./*aconsejar*   –_____
2. No coman en clase./*pedir*   –_____
3. No digáis nada./*mandar*   –_____
4. No hagas ruido./*suplicar*   –_____
5. No conduzca tan deprisa./*decir*   –_____
6. No pierdan la calma./*pedir*   –_____
7. No pongáis la televisión./*rogar*   –_____
8. No veas esta película./*recomendar*   –_____
9. No vengáis tarde./*decir*   –_____
10. No sean tan impacientes./*pedir*   –_____

Esquema gramatical 4

La conjunción cuando + indicativo/subjuntivo

cuando
- **+ presente de indicativo (acción situada en el presente)**
  Cuando salgo de la oficina, me voy a casa.
- **+ presente de subjuntivo (acción situada en el futuro)**
  Cuando salga de la oficina, me iré a casa.

7 Utilice el subjuntivo

Cuando nieva, voy a esquiar.   *–Cuando nieve, iré a esquiar.*

1. Cuando tengo tiempo, voy al cine.   –_____
2. Cuando llego a casa, me pongo a trabajar.   –_____
3. Cuando hace bueno, vamos a la playa.   –_____
4. Cuando le pregunto su opinión, no dice nada.   –_____
5. Cuando estoy en Barcelona, doy un paseo por las Ramblas.   –_____
6. Cuando es primavera, los campos se cubren de flores.   –_____
7. Cuando él se levanta de la siesta, tiene un humor de perros.   –_____
8. Cuando vamos a Madrid, visitamos el Museo del Prado.   –_____
9. Cuando ella sabe algo más del asunto, me lo comunica.   –_____
10. Cuando hay fresas, mi madre me hace una tarta de fresas y nata.   –_____

8 "Para / por"

1. He oído la noticia _____ la radio.

2. Nos vendió su coche _____ 3.000 euros.

3. Necesito una mesa grande _____ mi despacho.

4. Él ha viajado _____ todo el mundo.

5. Perdonen, pero tengo que llamar _____ teléfono.

6. Él tiene mucho dinero, trabaja sólo _____ placer.

7. El profesor nos ha mandado muchos ejercicios _____ mañana.

8. Esta contaminación no es buena _____ la salud.

9. Había muchos papeles tirados _____ el suelo.

10. No seas cabezota. Hazlo _____ mí.

9 "Ser / estar"

1. No me interrumpas. ¿No ves que _____ muy ocupado?

2. El ruso _____ un idioma bastante difícil.

3. Nosotros _____ cinco hermanos en casa. Sólo Luis _____ casado.

4. El ministro _____ ayer en Barcelona, hoy _____ en Valencia y mañana _____ en Alicante.

5. El ascensor no funciona, _____ estropeado.

6. El coche que compré ya no _____ nuevo, pero _____ casi nuevo.

7. Hoy _____ el cumpleaños de mi madre y quiero _____ con ella todo el día.

8. Este muchacho _____ muy inteligente, pero _____ una lástima que _____ tan vago.

9. Las cosas, cuando _____ de buena calidad, siempre _____ caras.

10. La sala donde _____ las máquinas _____ demasiado oscura porque tiene las ventanas muy estrechas.

Ejercicio de acentuación

Y Cuellar, por su parte, tampoco se decidia: seguia noche y dia detras de Teresita Arrarte, contemplandola, haciendole gracias, mimos y en Miraflores los que no sabian se burlaban de el, calentador, le decian, pura pinta, perrito faldero y las chicas le cantaban «Hasta cuando, hasta cuando», para avergonzarlo y animarlo. Entonces, una noche lo llevamos al Cine Barranco y, al salir, hermano, vamonos a La Herradura en tu poderoso Ford y el okey, se tomarian unas cervezas y jugarian futbolin, regio.

MARIO VARGAS LLOSA (1936-),
Los Cachorros

Ejercicio de puntuación

Agresivo lujo burgués del comedor de cinco estrellas moquetas que ahogan los pasos rebullir de camareros engalanados van y vienen entre las plantas tropicales encaramadas a su cielo ilusorio fondo de música que nadie escucha en una pared un gran retrato un general a caballo repleto de bríos y medallas con una lejanía de explosiones e incendios cadáveres guerra algo que despierta con viveza el escalofrío de la Historia nacional.

ALONSO ZAMORA VICENTE (1916-2006),
Mesa, sobremesa

¿Hablamos? / Hablemos

¿Te gusta más el cine o el teatro? ¿Vas con frecuencia a conciertos de música? ¿Te gustaría ser actor/actriz? ¿Es difícil interpretar? Cuéntame la película que más te ha gustado. Describe lo que más deseas.

Recordamos pautas conversacionales

Para presentar(se), responder, preguntar cómo está o manifestar cómo se encuentra, empleamos:

– Mi nombre es...; Me presentaré, yo soy...; ¿No te acuerdas de mí?; Mira, éste/a es...; ¿Conoces a...?

– ¡Encantado de conocerte(le) / de saludarte(le); Esperaba conocerte(le); Mucho gusto.

– ¿Qué tal?; ¿Qué cuentas?; ¿Cómo andas?

– ¡Como siempre!; Voy tirando.

VIA 2

Lección 3

En la estación

Luis: ¡Oye, qué extraño que no haya llegado todavía el tren!

Felipe: Es verdad. Quizá haya tenido algún problema debido al mal tiempo y llegue con retraso.

Luis: Puede ser, pues Juan me decía en su carta que el tren llegaba a Madrid a las ocho de la tarde y ya son las nueve menos cuarto.

Felipe: Espero que no le haya ocurrido nada. ¿Por qué no le vamos a preguntar al jefe de estación el motivo del retraso?

Luis: No seas tan nervioso. Ya lo comunicarán por los altavoces.

Altavoz: El tren procedente de París está efectuando su entrada en la estación.

Felipe: ¡Mira, allí está Juan! ¡Menos mal que por fin ha llegado!

Juan: ¡Hola! ¿Cómo estáis? Siento mucho que me hayáis tenido que esperar tanto tiempo. El tren ha venido muy despacio, debido a la intensa niebla que había, y de ahí que hayamos llegado con tanto retraso.

Luis: No te preocupes. Lo importante es que hayas llegado sano y salvo.

Felipe: Lo más seguro es que no hayas dormido nada en todo el viaje y que estés cansado. Así que vamos primero a casa para que puedas ducharte y descansar. Después charlaremos y planearemos lo que vamos a hacer durante tu estancia en nuestro país.

Juan: Me alegro de que hayáis venido a recogerme, pues traigo mucho equipaje.

Luis: No importa. El coche está aparcado justo delante de la estación.

Felipe: ¡En marcha!

Preguntas

1. ¿De qué se extraña Luis?
2. ¿Qué explicación le da Felipe al retraso del tren?
3. ¿Qué le decía Juan a Luis en su carta?
4. ¿Qué le quiere preguntar Felipe al jefe de estación?
5. ¿Por qué ha llegado el tren con tanto retraso?
6. ¿Qué les dice Juan a sus amigos cuando llega a la estación?
7. ¿Ha dormido Juan durante su viaje en tren?
8. ¿Qué le propone Felipe a Juan?
9. ¿De qué se alegra Juan?
10. ¿Qué viaje, de los que usted ha hecho, ha sido el más importante y por qué?

Esquema gramatical *1*

Pretérito perfecto de subjuntivo: presente de subjuntivo de *haber* + participio de perfecto

		-ar	-er	-ir
(yo)	haya			
(tú)	hayas			
(él, ella, usted)	haya			
(nosotros/as)	hayamos	cantado	perdido	salido
(vosotros/as)	hayáis			
(ellos, ellas, ustedes)	hayan			

Usos: La realidad de la acción a la que se refiere se presenta como hipotética o posible:
Te lo diré cuando haya acabado de hablar por teléfono. Ojalá haya llegado bien.

1 Utilice el subjuntivo

¿Han alquilado ellos el piso?   *–No creo que lo hayan alquilado.*

1. ¿Ha comprado papá el pan?   –_____

2. ¿Habéis aprobado el examen?   –_____

3. ¿Han perdido el tren?   –_____

4. ¿Ha ganado su novela el primer premio?   –_____

5. ¿Ha venido ya Luis?   –_____

6. ¿Han encontrado una habitación?   –_____

7. ¿Ha nevado en las montañas?   –_____

8. ¿Han salido ellos hoy de viaje?   –_____

9. ¿Ha resuelto usted algo?   –_____

10. ¿Han podido coger el avión?   –_____

2 Siga el modelo

¿Habrá llegado Antonio a tiempo?   *–¡Ojalá haya llegado Antonio a tiempo!*

1. ¿Habrá salido bien la operación?   –_____

2. ¿Habrá capturado la policía al ladrón?   –_____

3. ¿Habrán cumplido lo prometido?   –_____

4. ¿Habrá llegado ya el tren?   –_____

5. ¿Habrá ganado nuestro equipo de fútbol?   –_____

6. ¿Les habrá gustado la función de teatro?   –_____

7. ¿Lo habrán pasado bien en la fiesta?   –_____

8. ¿Habrá dicho Pilar toda la verdad?   –_____

9. ¿Se habrán divertido los niños en el cine?   –_____

10. ¿Habrá superado Paco la crisis?   –_____

Verbos que rigen subjuntivo

agradecer alegrarse de no creer dudar esperar extrañarse lamentar sentir perdonar tener miedo de / temer	**+ *que* + subjuntivo**	*Me alegro de que todo vaya bien.* *No creo que acabe el curso con sobresaliente.* *Lamento que termine todo de esta manera.* *Siento que no me quieras lo suficiente.* *Tengo miedo de que no consiga el trabajo.*

3 · Utilice el subjuntivo

Él no me ha invitado a su fiesta./
No se lo perdono.

–No le perdono que él no me haya invitado a su fiesta.

1. Usted me ha ayudado a resolver el problema./
   Se lo agradezco.
   –_____

2. Han descubierto un medicamento contra el cáncer./*Me alegro de ello.*
   –_____

3. No hemos podido asistir a la conferencia./
   Lo lamento.
   –_____

4. Ella ha estado en la cama con gripe./
   Lo sentimos.
   –_____

5. El tren todavía no ha llegado./*Me extraña.*
   –_____

6. Ella se ha molestado por mis palabras./
   Me lo temo.
   –_____

7. No has venido a visitarnos./*No te lo
   perdonamos.*
   –_____

8. La policía no ha encontrado aún las joyas
   robadas./*Lo lamento.*
   –_____

9. El niño se ha perdido./*Tengo miedo de ello.*
   –_____

10. Su novela ha sido premiada./*No lo creo.*
    –_____

Expresiones que rigen subjuntivo (Recuerde)

quizá / tal vez

(no) es conveniente que

(no) es importante que

(no) es imprescindible que

(no) es interesante que   **+ subjuntivo**

(no) es necesario que

(no) es posible que

(no) es probable que

Tal vez no haya oído el timbre.
Es importante que sea un buen profesional.
No es imprescindible que sepa chino.
Es imposible que consiga el premio.
No es probable que tenga tanta suerte.

En la estación

Es importante que tú *(leer)* este libro.   *–Es importante que tú leas este libro.*

1. Quizá *(ir)* nosotros mañana a la ciudad.   –_____

2. Es posible que *(llover)* esta tarde.   –_____

3. Es probable que él ya *(estar)* en casa.   –_____

4. Tal vez mañana *(hacer)* buen tiempo.   –_____

5. Es muy importante que tú me *(contestar)* pronto.   –_____

6. Es imprescindible que *(venir)* el médico.   –_____

7. No es necesario que usted me *(dar)* más explicaciones.   –_____

8. Es conveniente que vosotros *(saber)* toda la verdad.   –_____

9. Es interesante que ustedes *(ver)* esta obra de teatro.   –_____

10. Es probable que la policía *(encontrar)* pronto al ladrón.   –_____

Esquema gramatical 2

Conjunciones + subjuntivo

antes (de) que	*Nos levantaremos antes (de) que **salga** el sol.*
aunque	*Aunque **llueva**, iremos de excursión.*
cuando	*Cuando **tenga** dinero, me compraré un coche.*
después (de) que	*Después (de) que **escriba** la carta, la echaré al correo.*
hasta que	*Esperaremos hasta que **venga** Pedro.*
mientras (que)	*Mientras **haya** nieve, podremos ir a esquiar.*
para que	*Te lo digo para que lo **sepas**.*
tan pronto como	*Tan pronto como **lo sepa**, te lo diré.*
sin que	*Yo no me marcho sin que usted me **dé** una explicación.*

NOTA: Estas conjunciones, excepto **antes que**, **para que** y **sin que**, también rigen indicativo. Con indicativo indican que la acción se realiza en el presente o se ha realizado ya, mientras que con el subjuntivo se expresa una acción futura o hipotética.

Conjunciones + subjuntivos

¿Hasta cuándo esperamos aquí?
Hasta que deje de llover.

¿Cuándo me escribirás?
Cuando llegue a París.

¿Cuándo saldréis de viaje?
Antes (de) que amanezca.

¿Cuándo os casaréis?
Tan pronto como nos hayan terminado la casa.

¿Hasta cuándo tendrá usted que guardar cama?
Hasta que me lo diga el médico.

¿Cuándo me contarás todo?
Después (de) que haya hablado con ella.

¿Cuándo te irás a casa?
Cuando haya terminado el trabajo.

¿Hasta cuándo os quedaréis aquí?
Hasta que acabe la fiesta.

¿Cuándo hay que echar la sal?
Antes (de) que empiece a hervir el agua.

¿Hasta cuándo trabajará usted en esta empresa?
Hasta que expire mi contrato.

En la estación

5 Siga el modelo

Si te vas, apaga la radio./Cuando   –*Cuando te vayas, apaga la radio.*

1. Si habéis terminado el trabajo, venid
   a verme./*Cuando*   –_____

2. Si no apruebas el examen, no iremos de
   vacaciones./*Hasta que*   –_____

3. Si no viene Pepe, no podremos comenzar
   el trabajo./*Mientras*   –_____

4. Si me toca la lotería, daré la vuelta al
   mundo./*Cuando*   –_____

5. Si puedes, llámame por teléfono./*Tan pronto
   como*   –_____

6. Si llama alguien, no abras la puerta./*Aunque*   –_____

7. Si me entero de algo más, te lo comunicaré./
   Tan pronto como   –_____

8. Si no te portas bien, no te compraremos un
   nuevo ordenador./*Hasta que*   –_____

9. Si vienes, llámame./*Antes*   –_____

10. Si está, me avisas./*Cuando*   –_____

6 Utilice subjuntivo o indicativo, según convenga

Tan pronto como *(llegar)* a Granada,   –*Tan pronto como lleguemos a Granada,*
buscaremos hotel.   *buscaremos hotel.*

1. Cuando *(llegar)* a Madrid, se fue
   directamente al hotel.   –_____

2. Cuando *(venir)* a Madrid, ven a visitarme.   –_____

3. Mientras ella *(hacer)* la comida,
   él pone la mesa.   –_____

4. No saldremos a pasear, mientras
   (seguir) lloviendo.   –_____

5. Aunque él *(ser)* millonario, no es feliz.   –_____

6. Aunque vosotros *(insistir)*, no
   aceptaremos vuestro plan.   –_____

7. Después de que él *(aprobar)* su
   examen, se tomó unas vacaciones.   –_____

8. Hasta que no te *(comer)* todo,
   no te levantes de la mesa.   –_____

9. A pesar de su edad, *(correr)* mucho.   –_____

10. Antes de que *(enterarse)* Luis, llévatelo.   –_____

Esquema gramatical 3

Estructura de ser/estar + adjetivo + preposición

ser	estar
aficionado a	acostumbrado a
fiel/infiel a	contento/descontento con
igual, semejante a	enfermo de
fácil/difícil de	harto de
posible/imposible de	libre de
rico en	lleno de
pobre en	seguro de
bueno para	agradecido por
malo para	preocupado por
famoso por	triste por
apreciado por	preparado para

7 Ponga la preposición más apropiada

1. Mi hermano es muy aficionado _____ la música clásica.
2. El médico está muy preocupado _____ la salud del enfermo.
3. El humo es muy malo _____ la salud.
4. Estas mercancías están libres _____ impuestos.
5. Esta región es muy rica _____ carbón.
6. Él es siempre fiel _____ sus ideas.
7. Le estoy muy agradecido _____ su ayuda.
8. No estamos acostumbrados _____ este clima.
9. Estoy seguro _____ que la sala ya está llena _____ público.
10. La Mancha es famosa _____ su buen queso y _____ sus vinos.

8 "Ser / estar"

1. Este plan _____ imposible de realizar.
2. Él _____ enfermo de los nervios.
3. Este párrafo _____ lleno de faltas.
4. _____ harto de tanta hipocresía.
5. Esta región _____ muy pobre en recursos energéticos.
6. María _____ triste por no haber aprobado el examen.
7. Esta construcción _____ muy semejante a la construcción andaluza.
8. Creo que este problema_____ muy fácil de solucionar.
9. Ellos _____ muy contentos con los resultados obtenidos.
10. El pescado azul _____ muy bueno para la salud.

9 "Ser / estar"

1. Esta entrevista _____ muy importante para mí.

2. Ella _____ muy simpática. Siempre _____ de buen humor.

3. La obra de teatro _____ bastante divertida y los actores _____ muy buenos.

4. Los niños _____ aburridos; no saben qué hacer.

5. Mi casa _____ muy cerca de aquí. No _____ necesario que cojamos el autobús.

6. Este clima _____ muy malo para los asmáticos.

7. ¿Por qué _____ usted de mal humor? El problema ya _____ solucionado.

8. Su trabajo _____ muy bueno y además _____ muy bien escrito.

9. Él _____ tan grave que _____ necesario ingresarle en el hospital.

10. Estos tomates no _____ aún maduros y además _____ muy caros.

Ejercicio de acentuación

La brisa continuaba agitando las cortinas y el sol no acababa de brillar: seria una lastima, una verdadera lastima que el dia se echara a perder. En septiembre nunca se sabe. Miro hacia la cama matrimonial. Lilia seguia durmiendo, con esa postura espontanea, libre: la cabeza apoyada en el hombro y el brazo extendido sobre la almohada, la espalda al aire y una rodilla doblada, fuera de la sabana. Se acerco al cuerpo joven, sobre el cual esa luz primera jugaba gracilmente, iluminando el vello dorado de los brazos y los rincones humedos de los parpados, los labios, la axila pajiza.

CARLOS FUENTES (1928-), *La muerte de Artemio Cruz*

Ejercicio de entonación

– Has estado sonriendo –dije con rabia.

–¿Sonriendo? –preguntó asombrada.

–Sí, sonriendo: a mí no se me engaña tan fácilmente. Me fijo mucho en los detalles.

–¿En qué detalles te has fijado? –preguntó.

–Quedaba algo en tu cara. Rastros de una sonrisa.

–¿Y de qué podría sonreír? –volvió a decir con dureza.

–De mi ingenuidad, de mi pregunta si me querías verdaderamente o como a un chico, qué sé yo… Pero habías estado sonriendo. De eso no tengo ninguna duda.

María se levantó de golpe.

–¿Qué pasa? –pregunté asombrado.

–Me voy –repuso secamente.

Me levanté como un resorte.

–¿Cómo, que te vas?

–Sí, me voy.

ERNESTO SÁBATO (1911-), *El Túnel*

¿Hablamos? / Hablemos

¿Con qué viaje sueñas? ¿Tienes vocación de aventurero? ¿Qué medio de transporte te ilusiona más? ¿Cuál te produce más pánico? ¿Irías en un globo? ¿Irías a la Luna?

Recordamos pautas conversacionales

Para invitar, para aceptar o rehusar una invitación, empleamos:

– ¿Vienes?; ¿Quieres venir?; Te invito; Venga, te invito; ¿Te apetece…?

– Gracias, iré encantado; Sí, me gustaría; Vale, de acuerdo; Claro; Encantado.

– Lo siento…; Gracias, pero me es imposible; Me gustaría, pero no puedo; Lástima, no puedo; No me apetece.

Lección 4

La vida en la gran ciudad

Carmen: ¡Hola, María! ¿Cómo están tus niños? Hace algunos días que no los veo.

María: Están en la cama con dolor de garganta. Con esta contaminación que tenemos no hay quien respire. ¡Si al menos lloviera y se limpiara la atmósfera!

Carmen: ¡Oye! ¿No podrías mandarlos unos cuantos días al pueblo de tus padres? Estoy segura de que el aire puro les sentaría muy bien.

María: Si mi marido estuviera de acuerdo, por supuesto que lo haría. Pero él siempre me dice que si se fueran al campo, perderían muchas clases y luego tendrían muchos problemas para ponerse otra vez al día.

Carmen: Sí, en cierto modo tiene razón, pero ¡chica!, ante todo está la salud.

María: Por supuesto. Desde luego el vivir en una gran ciudad como Madrid, con tanta contaminación, hoy en día, es una gran desgracia.

Carmen: Yo, en tu lugar, y con los niños pequeños, me iría a una ciudad más pequeña, donde se pudiera vivir más sanamente, sin tantas prisas y sin tanta contaminación.

María: ¡Ah, si esto fuera posible! Pero mi marido tiene un puesto bastante bueno en una empresa de construcción y sería una verdadera locura, con tanto paro como hay, el que dejara esta colocación tan estupenda y tuviera que buscar otra vez trabajo.

Carmen: Desde luego. Lo ideal sería que las autoridades competentes tomaran las medidas oportunas, que prohibieran el tráfico por el centro de la ciudad y castigaran a las empresas que no cumplieran con las medidas anticontaminantes.

María: ¡Ojalá lo hicieran! Pero por ahora la única solución sería que nos tocara la lotería y así nos iríamos a vivir al campo.

Carmen: ¿Juegas todas las semanas a la lotería?

María: ¡Qué va! Es hablar por hablar.

Carmen: Entonces, ¿cómo quieres que te toque?

Preguntas

1. ¿Qué les ocurre a los niños de María?
2. ¿Viven en la ciudad o en el pueblo?
3. ¿Por qué viven en la ciudad?
4. ¿Por qué no quiere mandar el marido de María a los niños al pueblo?
5. ¿Vivirían mejor en el pueblo? ¿Por qué?
6. ¿Por qué las ciudades están contaminadas?
7. ¿Por qué no se va la familia de María a vivir a una ciudad más pequeña?
8. ¿Es fácil encontrar trabajo en la actualidad?
9. ¿Es agradable vivir en una ciudad grande como Madrid?
10. ¿Cómo se arreglaría el problema de la contaminación?

Esquema gramatical 1

	-ar cantar	-er temer	-ir partir
(yo)	cant-*ara/ase*	tem-*iera/iese*	part-*iera/iese*
(tú)	cant-*aras/ases*	tem-*ieras/ieses*	part-*ieras/ieses*
(él, ella, usted)	cant-*ara/ase*	tem-*iera/iese*	part-*iera/iese*
(nosotros/as)	cant-*áramos/ásemos*	tem-*iéramos/iésemos*	part-*iéramos/iésemos*
(vosotros/as)	cant-*arais/aseis*	tem-*ierais/ieseis*	part-*ierais/ieseis*
(ellos, ellas, ustedes)	cant-*aran/asen*	tem-*ieran/iesen*	part-*ieran/iesen*

NOTA: El pretérito imperfecto de subjuntivo se forma a partir de la tercera persona del plural del pretérito indefinido.

USOS: El tiempo del verbo de la oración principal marca la aparición del imperfecto:
Les decía que no corrieran tanto.

De igual modo, cuando la acción de la subordinada se presenta como irreal:
Si te vinieras conmigo, disfrutarías mucho.

Pretérito imperfecto de subjuntivo: verbos regulares

	Indefinido		Imperfecto de subjuntivo
-ar	cantar(on)	⟶	cantara/cantase
-er	temier(on)	⟶	temiera/temiese
-ir	partier(on)	⟶	partiera/partiese

Pretérito imperfecto de subjuntivo: verbos irregulares

Pretérito indefinido		Pretérito imperfecto
dijer(on)	⟶	dijera/dijese
hicier(on)	⟶	hiciera/hiciese
pidier(on)	⟶	pidiera/pidiese
vinier(on)	⟶	viniera/viniese
durmier(on)	⟶	durmiera/durmiese
estuvier(on)	⟶	estuviera/estuviese
fuer(on)	⟶	fuera/fuese
supier(on)	⟶	supiera/supiese
tuvier(on)	⟶	tuviera/tuviese
leyer(on)	⟶	leyera/leyese
creyer(on)	⟶	creyera/creyese

1 Conjugue el verbo que está entre paréntesis

Le pedí que me _____ *(ayudar)*.
Le pedí que me ayudara.

1. Nos pidió que le _____ *(escribir)* pronto.
2. Me aconsejó que _____ *(tener)* paciencia.
3. El jefe le mandó a su secretario que _____ *(hacer)* varias llamadas.
4. Sentimos mucho que ustedes no _____ *(venir)* a nuestra fiesta.
5. Temimos que Pedro no _____ *(poder)* llegar a tiempo.
6. No pensé que el problema _____ *(ser)* tan complicado.
7. El profesor os recomendó que _____ *(leer)* este libro.
8. Le rogó al jefe que le _____ *(subir)* el sueldo.
9. Ella me dijo que _____ *(ir)* a ver la exposición sobre El Greco.
10. No creí que él _____ *(tener)* tanto dinero.

2 Siga el modelo

Te digo que pidas otro café.

–*Te dije que pidieras otro café.*
–*Te dije que pidieses otro café.*

1. Celebro que tengas éxito.
   –_____
   –_____

2. Siento que María esté enferma.
   –_____
   –_____

3. Mi hermano me aconseja que lea el libro.
   –_____
   –_____

4. Temo que él esté enfermo.
   –_____
   –_____

5. El jefe me ordena que venga con puntualidad.
   –_____
   –_____

6. Es justo que le den el premio.
   –_____
   –_____

7. Inés me dice que te pregunte por el libro.
   –_____
   –_____

8. Lamento que no se quede más tiempo.
   –_____
   –_____

9. Mi madre se alegra de que vuelva pronto a casa.
   –_____
   –_____

10. María me pide que la ayude.
    –_____
    –_____

Pretérito imperfecto de subjuntivo

Mi hermano quería que *fuera/se* con él al médico.

Sentí que Pedro *estuviera/se* enfermo.

Me alegré de que *vinieras/ses* también de excursión.

Fue una lástima que no te *presentaras/ses* al premio.

No creí que *llegaras/ses* a la cima de la montaña.

Antonio me rogó que le *diera/se* dinero.

Me gustaría hacer un viaje a América. ¡Ojalá *hiciera/se* un viaje a América!

Nos gustaría estar en Santander. ¡Ojalá _____

Le gustaría jugar pronto al fútbol. ¡Ojalá _____

Me gustaría ir de excursión. ¡Ojalá _____

3 | *Siga el modelo*

Pedro no viene.

–*¡Ojalá viniera!*
–*¡Ojalá viniese!*

1. No tenemos tiempo para ir al cine. –_____
2. Yo no sé nada de él. –_____
3. Hace mal tiempo. –_____
4. Los niños no se están quietos. –_____
5. Nunca nos toca la lotería. –_____
6. Ellos no dicen la verdad. –_____
7. No podemos ir a España. –_____
8. Sólo piensa en sí misma. –_____
9. No quiere ayudarnos. –_____
10. Esto no es fácil. –_____

Esquema gramatical 2

Condicional simple: verbos regulares

	comprar	**ser**	**ir**	
(yo)	comprar-*ía*	ser-*ía*	ir-*ía*	**-ía**
(tú)	comprar-*ías*	ser-*ías*	ir-*ías*	**-ías**
(él, ella, usted)	comprar-*ía*	ser-*ía*	ir-*ía*	**-ía**
(nosotros/as)	comprar-*íamos*	ser-*íamos*	ir-*íamos*	**-íamos**
(vosotros/as)	comprar-*íais*	ser-*íais*	ir-*íais*	**-íais**
(ellos, ellas, ustedes)	comprar-*ían*	ser-*ían*	ir-*ían*	**-ían**

Formación: El condicional simple se forma con el radical del futuro + las desinencias: **ía, ías, ía, íamos, íais, ían.**

Condicional simple: verbos irregulares

caber	→	cabr-
decir	→	dir-
hacer	→	har-
haber	→	habr-
poder	→	podr-
poner	→	pondr-
querer	→	querr-
tener	→	tendr-
valer	→	valdr-
venir	→	vendr-

-ía
-ías
-ía
-íamos
-íais
-ían

Usos: Expresa cortesía (*¿Querría abrirme la puerta?*), deseo (*Me gustaría ir al cine*), consejo (*Deberías ir al peluquero*).

4 Siga el modelo

¿Por qué haces esto?   **–Yo, en tu lugar, no lo haría.**

1. Él trabaja demasiado./*Yo*   –_____

2. ¿Por qué no habláis con el director?/*Nosotros*   –_____

3. Ella no quiere saber la verdad./*Yo*   –_____

4. ¿Por qué tienes miedo?/*Yo*   –_____

5. Usted fuma demasiado./*Yo*   –_____

6. Ellos son muy optimistas./*Nosotros*   –_____

7. ¿Por qué no le pides consejo?/*Yo*   –_____

8. ¿Por qué no os vais de vacaciones a Miami?/*Nosotros* –_____

9. Ellos no están de acuerdo con el proyecto./*Nosotros* –_____

10. ¿Por qué no dices lo que piensas?/*Yo*   –_____

5 Siga el modelo

¿Me puedes ayudar?   **–¿Me podrías ayudar?**

1. ¿Es usted tan amable de indicarme la dirección?   –_____

2. ¿Puede usted esperar un momento?   –_____

3. ¿Cuándo me dará usted una contestación?   –_____

4. ¿Le puedo hacer una pregunta?   –_____

5. ¿Me dejas tu bicicleta?   –_____

6. ¿Me puedes decir qué hora es?   –_____

7. ¿Me permite llamar por teléfono?   –_____

8. ¿Puedo hablar un momento con usted?   –_____

9. ¿Me haces el favor de echarme esta carta?   –_____

10. ¿Podéis explicarnos el problema?   –_____

Esquema gramatical 3

Oraciones condicionales irreales

Oración subordinada	Oración principal
si... + imperfecto subjuntivo	condicional simple
Si { *tuviera tiempo,*	*iría a verte.*
tuviese tiempo,	*iría a verte.*

6 Siga el modelo

No tengo tiempo. No puedo ir a verte.   –*Si tuviera tiempo, iría a verte.*

1. No tengo dinero. No puedo comprar este coche.   –_____

2. No tengo tabaco. No puedo fumar.   –_____

3. No tengo equipo. No puedo jugar.   –_____

4. No tengo coche. No puedo viajar.   –_____

5. No tengo entrada. No puedo ir al teatro.   –_____

6. No tengo su teléfono. No le puedo llamar.   –_____

7. No tiene interés. No puede aprender nada.   –_____

8. No tengo apetito. No puedo comer.   –_____

9. No tengo tiempo. No puedo ir al cine.   –_____

10. No tengo pasaporte. No puedo salir al extranjero.   –_____

7 Siga el modelo

No te lo puedo decir porque no lo sé.   –*Si lo supiera, te lo diría.*

1. No vamos al cine porque mañana tenemos un examen.   –_____

2. No le podemos llamar porque no sabemos su número de teléfono.   –_____

3. No apruebas los exámenes porque no estudias lo suficiente.   –_____

4. A Juan le ponen muchas multas porque no respeta las señales de tráfico.   –_____

5. No puedo ir este verano a España porque sólo tengo una semana de vacaciones.   –_____

6. Él no tiene amigos porque es muy egoísta.   –_____

7. No nos podemos quedar más tiempo porque nos están esperando.   –_____

8. Ella está muy gorda porque no hace deporte.   –_____

9. El problema de la contaminación no se arregla porque muchas empresas no respetan las medidas anticontaminantes.   –_____

10. Tú siempre estás cansado porque fumas demasiado.   –_____

8 Complete el diálogo

Utilice los siguientes verbos:

ser, estar, tener, hacer, mejorar, haber, ahorrar, poner, respetar, arrojar, utilizar, volver, contaminar.

Entrevistador: Perdón, señor, _____ haciendo una encuesta sobre la contaminación atmosférica. ¿_____ usted tan amable de contestar a algunas preguntas? Por ejemplo, ¿qué medidas _____ que tomar el gobierno para proteger el medio ambiente?

Señor: Si yo _____ gobernante, lo primero que _____, _____ suprimir el tráfico por el centro de la ciudad. Por supuesto, _____ el transporte público para que la gente no _____ que hacer cola en las paradas de autobuses.

Entrevistador: Y usted, señora, ¿_____ de acuerdo con dejar el coche en casa y coger el autobús?

Señora: Sí, siempre que los autobuses _____ rápidos, cómodos y seguros. Yo creo que se _____ mucha gasolina y no _____ tanta contaminación.

Entrevistador: ¿No creen ustedes que también _____ que concienciar a la gente?

Señora: Naturalmente. Si todos _____ más responsables y _____ más nuestro entorno, no _____ todo tan sucio. Es muy triste ver cómo muchas personas no _____ las papeleras y _____ todo al suelo.

Señor: Yo les _____ una buena multa y también a todas las fábricas que _____ las aguas y el suelo. Así no _____ a cometer la misma infracción. En este sentido _____ inflexible.

9 "Ser / estar"

1. Yo también _____ de acuerdo contigo; es decir, _____ de tu misma opinión.

2. Luis _____ un chico muy listo, pero muy inquieto; no _____ tranquilo ni un momento.

3. Estos zapatos me _____ muy anchos y además _____ muy caros.

4. Él _____ muy amable con todo el mundo y siempre _____ dispuesto a ayudar.

5. Aunque mi padre no _____ viejo, de tanto trabajar _____ muy avejentado.

6. Ya _____ cansados de esperar, pues _____ más de las nueve y ella aún no ha venido.

7. Desde que se fue al extranjero, Pepe _____ completamente cambiado.

8. La corrida de esta tarde ha _____ muy buena; pero yo me he aburrido bastante, porque no _____ aficionado a los toros.

9. Este reloj de pulsera _____ un regalo de mi abuela. No me lo pongo porque _____ estropeado.

10. No _____ necesario que calientes la sopa. _____ aún templada.

Ejercicio de entonación

De vuelta al café, el viajero compra los periódicos a un niño pequeño, listo como un ratón de sacristía.

–¿Cuántos años tienes?

–Tengo cinco y medio.

–¿Cómo te llamas?

–Paco, para servir a Dios y a usted.

–¿Vendes muchos periódicos?

–Sí señor; todos. A las doce ya he vendido siempre todos. El año pasado, ¿sabe usted?, no. ¡Como era más pequeño y corría menos! (...) El viajero entra en una tienda donde hay de todo.

–¿Tienen ustedes algo típico de aquí, algo que pueda llevar como recuerdo de Guadalajara?

–¿Algo típico, dice?

–Pues, sí... Eso digo.

–No sé... ¡Como no busque usted bizcochos borrachos!

CAMILO JOSÉ CELA (1916-2000), *Viaje a la Alcarria*

Ejercicio de puntuación

El señor Carmichael levantó la cabeza se desajustó la sábana del cuello para darle curso a la circulación «por eso he preferido siempre que me corte el pelo mi mujer» protestó «no me cobra nada y por añadidura no me habla de política» el barbero le empujó la cabeza adelante y siguió trabajando en silencio a veces repicaba al aire las tijeras para descargar un exceso de virtuosismo el señor Carmichael oyó gritos en la calle.

GABRIEL GARCÍA MÁRQUEZ (1928-),
La malahora

La vida en la gran ciudad

¿Hablamos? / Hablemos

¿Te gustaría vivir en un barrio céntrico de la ciudad? Cuenta cómo es el centro de tu ciudad. ¿A qué llamamos *casco histórico* de una ciudad? ¿Por qué las ciudades antiguas han conservado restos del pasado? ¿Sería igual si destruyéramos los monumentos antiguos?

Recordamos pautas conversacionales

Para pedir y ofrecer algo a alguien, aceptarlo y rechazarlo, empleamos:

– Dame; Préstame; ¿Podrías / te importaría / no te importaría darme, pasarme, prestarme, alcanzarme…?

– ¿Te apetece…?; Quiero ofrecerte(le); Toma, es para ti; ¿Te ayudo?; ¿Quieres que te ayude?

– Sí, gracias; Encantado; Claro que sí; Sí, me gustaría mucho; Gracias por tu ayuda; Acepto encantado.

– Bueno, no; Ahora no, gracias; Ni hablar; De ningún modo; Lo siento, no puedo; No me apetece; Gracias por ofrecérmelo.

En la montaña

Pepe: ¡Hola, Javier! ¿Por qué no has venido con nosotros a los Picos de Europa? Te habrías divertido mucho y habrías olvidado los exámenes y todas las demás preocupaciones.

Javier: Me hubiera gustado ir, pero no ha podido ser. Si no hubiera tenido la gripe, seguramente habría ido. En fin, ¡mala suerte! ¿Qué tal lo habéis pasado?

Pepe: Muy bien, aunque lo habríamos pasado mejor si no hubiera nevado tanto.

Javier: ¿No pudisteis salir para nada del refugio?

Pepe: Sí, pudimos dar un paseo por los alrededores. Si no hubiera habido tanta nieve, habríamos subido a la cima de la montaña. Pero no nos atrevimos a alejarnos mucho porque algunos montañeros que conocían bien el lugar nos aconsejaron que nos quedáramos cerca del refugio, pues el tiempo en la montaña cambia muy rápidamente y nos podríamos encontrar, cuando menos lo pensáramos, con alguna sorpresa desagradable.

Javier: ¿Ibais bien preparados contra el frío?

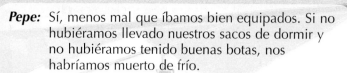

Pepe: Sí, menos mal que íbamos bien equipados. Si no hubiéramos llevado nuestros sacos de dormir y no hubiéramos tenido buenas botas, nos habríamos muerto de frío.

Javier: ¿No pasasteis miedo ante la posibilidad de veros bloqueados por la nieve?

Pepe: ¡Qué va! Al revés: habríamos deseado que hubiera nevado muchísimo y que no hubiéramos tenido más remedio que quedarnos unos días descansando, apartados de la vida moderna.

Javier: ¿Sabes una cosa? ¡Me alegro de no haber ido! Esas emociones son muy fuertes para mí.

Preguntas

1. ¿Por qué no ha ido Javier con Pepe a los Picos de Europa?
2. ¿Qué tal lo han pasado Pepe y sus amigos?
3. ¿Qué tal tiempo les hizo? ¿Pudieron salir del refugio a dar un paseo?
4. ¿Qué habrían hecho si no hubiera nevado tanto?
5. ¿Por qué no se atrevieron a alejarse del refugio?
6. ¿Qué les hubiera pasado si no hubieran ido bien equipados?
7. ¿No pasaron miedo ante la posibilidad de quedarse bloqueados por la nieve?
8. ¿Qué habrían deseado que hubiera pasado?
9. ¿Por qué se alegra Javier de no haber ido a los Picos de Europa?
10. ¿Nos podría usted contar alguna aventura que le haya sucedido?

Esquema gramatical 1

		-ar	-er	-ir
(yo)	hubiera/hubiese			
(tú)	hubieras/hubieses			
(él, ella, usted)	hubiera/hubiese			
(nosotros/as)	hubiéramos/hubiésemos	solucionado	leído	salido
(vosotros/as)	hubierais/hubieseis			
(ellos, ellas, ustedes)	hubieran/hubiesen			

Usos: Expresa una acción hipotéticamente finalizada en el pasado, aunque conlleve matices en relación al grado de realidad o posibilidad: *A tu abuelo le habría gustado que hubieras aprobado.*

1 Siga el modelo

Antonio no ha venido.   *–¡Ojalá hubiera venido!*

1. Él no ha vendido ningún cuadro. – _____
2. Yo no he seguido sus consejos. – _____
3. Tú no has dicho la verdad. – _____
4. Nosotros no hemos conseguido el premio. – _____
5. Ella se ha puesto enferma. – _____
6. Nosotros no lo hemos visto. – _____
7. Usted no ha conseguido una beca para el extranjero. – _____
8. Nos ha hecho muy mal tiempo. – _____
9. No me ha tocado la lotería. – _____
10. Vosotros habéis llegado tarde. – _____

Esquema gramatical 2

		-ar	-er	-ir
(yo)	habría			
(tú)	habríais			
(él, ella, usted)	habría			
(nosotros/as)	habríamos	solucionado	leído	salido
(vosotros/as)	habríais			
(ellos, ellas, ustedes)	habrían			

Nota: Las formas del potencial son obligatorias en oraciones que preceden a las condicionales: *Ella no habría aceptado si no se lo hubieras pedido tú.*

2 Siga el modelo

Él no ha hecho el viaje./*Nosotros*   —*Nosotros, en su lugar, sí lo habríamos/hubiéramos hecho.*

1. Tú no has reservado habitación./*Yo*   —_____

2. Usted no ha hablado con el director./*Nosotros*   —_____

3. Vosotros os habéis comportado muy mal con él./*Yo*   —_____

4. Ellos se han quedado en casa./*Nosotras*   —_____

5. Ella ha conducido demasiado deprisa./*Yo*   —_____

6. Ustedes se han puesto nerviosos./*Él*   —_____

7. Ella se ha enfadado con su amiga./*Yo*   —_____

8. Vosotros os acostasteis muy tarde./*Nosotros*   —_____

9. Ellos se fueron de excursión./*Yo*   —_____

10. Usted aparcó el coche en sitio prohibido./*Yo*   —_____

3 Siga el modelo

Él no ha aceptado la propuesta./*¿tú?*   —*¿La habrías aceptado tú?*

1. Ella ha rechazado la invitación./*¿vosotros?*   —_____

2. Yo no he podido hacer el ejercicio./*¿usted?*   —_____

3. Ellos no han ayudado al herido./*¿vosotros?*   —_____

4. Ella se puso muy nerviosa./*¿tú?*   —_____

5. Nosotros no hemos hecho nada./*¿ustedes?*   —_____

6. Él ha dejado solos a los niños./*¿tú?*   —_____

7. Ellos han resuelto el problema./*¿usted?*   —_____

8. Yo no me atrevía a llevarle la contraria./*¿vosotros?*   —_____

9. Él no tuvo miedo al ladrón./*¿tú?*   —_____

10. Nosotros no hemos sabido la pregunta./*¿ustedes?*   —_____

Esquema gramatical 3

Condicional real	Presente	Si **tengo** dinero,	**voy** de excursión. **iré** de excursión.
	Pasado	Si **ha llegado**,	**dímelo/comunícamelo.** lo **habrán visto.** lo **han visto.** **estará** en casa. **tengo** que llamarle.
Condicional irreal	Presente	Si **tuviera/tuviese** dinero, **iría** de excursión.	
	Pasado	Si **hubiera/hubiese** tenido dinero,	**habría ido** de excursión. **hubiera ido** de excursión. no **estaría** ahora aquí.

4 Siga el modelo

Saberlo./decirlo.

–Si lo sé, se lo diré/se lo digo.
–Si lo supiera/supiese, se lo diría.

1. Hacer frío./ponerse el abrigo.

–_____
–_____

2. Haber nieve./ir a esquiar.

–_____
–_____

3. Ir a París./visitar a Carlos.

–_____
–_____

4. Llover./no ir a pasear.

–_____
–_____

5. Tener tiempo./visitar a mis amigos.

–_____
–_____

6. Hacer deporte./adelgazar.

–_____
–_____

7. Tocar la lotería./comprarnos una casa.

–_____
–_____

8. Hacer calor./sentarnos en el jardín.

–_____
–_____

9. Venir a Madrid./enseñarte la ciudad.

–_____
–_____

10. Aprobar el examen./ir al extranjero.

–_____
–_____

El condicional

Él no ha ido al médico.
Yo, en su lugar, habría ido al médico.

Él ha bebido mucho.
Yo, en su lugar, _____

Tú te has acostado muy tarde.
Yo, en tu lugar, _____

Ella se ha cortado el pelo.
Yo, en su lugar, _____

Ellos se bañaron lloviendo.
Nosotros, en su lugar, _____

Vosotros cruzasteis la calle con el semáforo en rojo.
Yo, en vuestro lugar, _____

Carmen no aceptó la invitación.
Yo, en su lugar, _____

Él no abrió la carta.
Ella, en su lugar, _____

Él se ha enfadado mucho con ella.
Yo, en su lugar, también _____

Ella llamó a la policía.
Nosotros, en su lugar, también _____

La frase condicional

No he ido de excursión porque estaba enfermo.
Si no hubiera estado enfermo, _____

Él ha suspendido el examen porque no ha estudiado.
Si _____

No hemos ido al concierto porque no había entradas.
Si _____

Él estaba muy borracho y chocó contra el árbol.
Si _____

Mi hermano está en el hospital porque ha tenido un accidente.
Si _____

No hemos comprado la casa porque no tenemos dinero.
Si _____

Usted ha derrapado porque no ha tomado bien la curva.
Si _____

Vosotros habéis perdido el tren porque no habéis sido puntuales.
Si _____

Él robó varios coches y ahora está en la cárcel.
Si _____

El médico no llegó a tiempo y no pudo salvar al enfermo.
Si _____

5 Siga el modelo

No he tenido dinero. No he hecho el viaje.

–Si hubiera tenido dinero, habría hecho el viaje.

1. No he visto a Carmen. No he podido decírselo.

   –_____

2. No hemos tenido tiempo. No hemos podido visitaros.

   –_____

3. Ha llovido mucho. No he ido a pasear.

   –_____

4. Antonio no ha estudiado. No ha aprobado el examen.

   –_____

5. No me han arreglado el coche. He tenido que coger el autobús.

   –_____

6. No he traído la cámara. No he sacado fotografías.

   –_____

7. Han llegado tarde. Han perdido el avión.

   –_____

8. No he ido a Madrid. No he visto a Consuelo.

   –_____

9. He perdido su número de teléfono. No le he podido llamar.

   –_____

10. Ha conducido muy deprisa. Ha tenido un accidente.

    –_____

6 Siga el modelo

Como no has leído hoy el periódico, no te has enterado de la noticia.

–Si hubieras leído el periódico, te habrías/hubieras enterado de la noticia.

1. Como ha estado lloviendo toda la tarde, no hemos salido de casa.

   –_____

2. Como bebía y fumaba mucho, cayó enfermo.

   –_____

3. Como no riegas las flores, se te han secado.

   –_____

4. Como se acostó tarde, no llegó puntual al trabajo.

   –_____

5. Como hizo tanto frío, se estropeó la cosecha.

   –_____

6. Como usted se había ido, no le pudimos dar el recado.

   –_____

7. Como no cerró bien la puerta, le robaron.

   –_____

8. Como has aparcado en sitio prohibido, te han puesto una multa.

   –_____

9. Como faltaba continuamente al trabajo, le despidieron.

   –_____

10. Como no me hiciste caso y no te pusiste el abrigo, ahora estás resfriado.

    –_____

7 Oraciones condicionales. Ponga el verbo en el tiempo apropiado

1. Si no _____ *(portarse)* bien, no te llevo al circo.

2. Si _____ *(llover)*, no saldremos.

3. Si yo lo _____ *(saber)*, no habría venido.

4. Si le _____ *(ver)*, dile que le estoy esperando.

5. Si usted no _____ *(fumar)* tanto, se sentiría mucho mejor.

6. Si nos _____ *(llamar)*, os habríamos ayudado.

7. Si él _____ *(ser)* un poco más simpático, tendría más éxito en la vida.

8. Si ella _____ *(conducir)* con más prudencia, no habría tenido ningún accidente.

9. Si usted no _____ *(comprender)* algo, pregúntemelo.

10. Si no _____ *(hacer)* tan mal tiempo, iríamos a la playa.

Esquema gramatical 4

Imperfecto de subjuntivo para expresar un deseo

me gustaría
desearía
preferiría
querría/quisiera

} + *que* + **imperfecto de subjuntivo**

Me **gustaría** que **vinieras** con nosotros de excursión.

8 Siga el modelo

Me gustaría que *(tú decir la verdad).*   –Me gustaría que tú dijeras la verdad.

1. Quisiera que *(usted acompañarme).* –_____

2. Desearía que *(mis padres regalarme un reloj).* –_____

3. Nos gustaría que *(salir todo bien).* –_____

4. Preferiría que *(citarnos a las seis).* –_____

5. Querría que *(no llover tanto).* –_____

6. Nos gustaría que *(ustedes visitarnos).* –_____

7. Desearía que *(todo terminar bien).* –_____

8. Preferiríamos que *(el examen ser más tarde).* –_____

9. Me gustaría que *(ganar nuestro equipo).* –_____

10. Desearíamos que *(él estar ahora aquí).* –_____

Ejercicio de entonación 🎧

(…) –¡Ay, Enrique!; esto no se puede tolerar; esto no es casa ni familia; esto es un infierno. Mi padre se ha enterado de nuestras relaciones, y está furioso. ¡Figúrate que anoche, porque me defendí, llegó a pegarme!

–¡Qué bárbaro!

–No lo sabes bien. Y dijo que te ibas a ver con él…

–¡A ver, que venga! Pues no faltaba más.

Mas por lo bajo se dijo: «Hay que acabar con esto, porque ese ogro es capaz de cualquier atrocidad si ve que le van a quitar su tesoro; y como yo no puedo sacarle de trampas…».

–Di, Enrique, ¿tú me quieres?

–¡Vaya una pregunta ahora…!

–Contesta, ¿me quieres?

–¡Con toda el alma y con todo el cuerpo, nena!

–¿Pero de veras?

– ¡Y tan de veras!…

MIGUEL DE UNAMUNO (1864-1936),
Nada menos que todo un hombre

Ejercicio de acentuación

Al entrar en el oratorio, mi corazon palpito. Alli estaba Maria Rosario, y cercano a ella tuve la suerte de oir misa. Recibida la bendicion, me adelante a saludarla. Ella me respondio temblando. Tambien mi corazon temblaba, pero los ojos de Maria Rosario no podian verlo. Yo hubierale rogado que pusiese su mano sobre mi pecho, pero temi que desoyese mi ruego.

RAMÓN MARÍA DEL VALLE-INCLÁN (1866-1936),
Sonata de Primavera

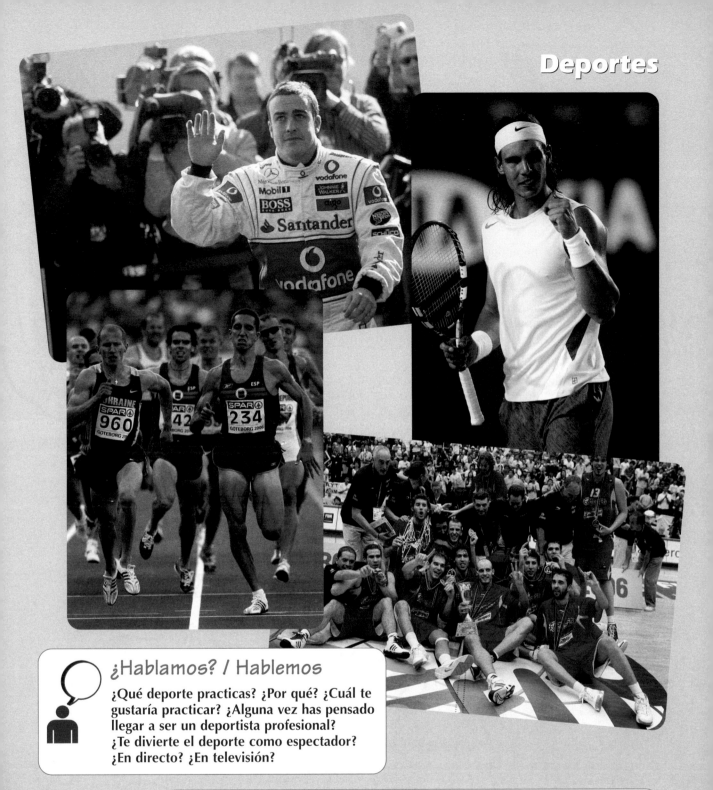

¿Hablamos? / Hablemos

¿Qué deporte practicas? ¿Por qué? ¿Cuál te gustaría practicar? ¿Alguna vez has pensado llegar a ser un deportista profesional? ¿Te divierte el deporte como espectador? ¿En directo? ¿En televisión?

Recordamos pautas conversacionales

Para proponer, aceptar o rechazar un plan, empleamos:

– Propongo / sugiero que...; ¿Qué te parece la idea de...?; ¿Te apetecería...?

– Me parece bien; Sí, me apetece; Me gusta tu idea.

– No me apetece; No tengo ganas; Perdona, pero me es imposible.

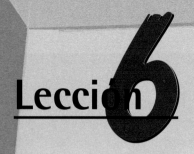

Un encuentro casual

Lección 6

Carmen: ¿Sabes a quién me encontré ayer en la calle?

Alberto: No. ¿A quién?

Carmen: A Celia, mi antigua compañera de colegio.

Alberto: ¡Qué casualidad!, ¿no?, y ¿qué te contó?

Carmen: Me contó que, después de terminar sus estudios, se había casado con un alemán y que estuvo viviendo una temporada en Alemania; que desde hace dos años viven otra vez en España, pero que, como había perdido mi dirección, no había podido localizarme.

Alberto: ¿Qué más te comentó?

Carmen: Me dijo que tenían una niña de dos años y que ahora estaba otra vez embarazada. También me preguntó que cómo nos iba y si teníamos hijos.

Alberto: ¿Habéis quedado en volver a veros?

Carmen: Me insistió mucho en que nos teníamos que volver a ver otra vez más despacio. Quedó en llamarme por teléfono para ver si podíamos salir juntos un fin de semana.

Alberto: ¿Iba el marido con ella?

Carmen: No. Le pregunté por él y me contestó que ahora estaba en Alemania en viaje de negocios, pero que regresaría la semana próxima y que estarían encantados de que los cuatro fuéramos juntos a cenar.

Alberto: ¿Te contó cómo se habían conocido?

Carmen: Sí. Me dijo que, después de terminar la carrera, se había ido a Alemania en viaje de estudios y que le había conocido en una fiesta.

Alberto: ¡Qué pequeño es el mundo! Bueno, por mí no hay ningún inconveniente en que quedes con Celia y su marido para el fin de semana. Podemos ir a cenar a un restaurante que acaban de inaugurar y en donde me han dicho que se come muy bien y que está bastante bien de precio.

Preguntas

1. ¿A quién se encontró Carmen ayer en la calle?
2. ¿Qué le contó Celia a Carmen?
3. ¿Desde cuándo vive Celia otra vez en España?
4. ¿Por qué hacía tanto tiempo que no se veían?
5. ¿En qué quedó Celia con su amiga Carmen?
6. ¿Iba Celia sola o con su marido?
7. ¿Por quién le preguntó Carmen a Celia y qué le respondió ésta?
8. ¿Cómo conoció Celia a su marido?
9. ¿Para cuándo van a quedar y adónde tienen pensado ir?
10. ¿Podría hablar de un amigo o de una amiga de su infancia?

Esquema gramatical 1

Estilo directo

Estilo indirecto

Dice/ha dicho/dirá:	Dice/ha dicho/dirá
"**Soy** español".	*que él **es** español.*
"**Estaba** muy nervioso".	*que **estaba** muy nervioso.*
"**Llegué** ayer por la noche".	*que **llegó** ayer por la noche.*
"Me **he levantado** muy tarde".	*que se **ha levantado** muy tarde.*
"Nosotros **habíamos salido** al cine".	*que ellos **habían salido** al cine.*
"**Voy** a **comer** ahora/a **visitar** a mi amigo".	*que **va** a **comer** ahora/a **visitar** a su amigo.*
"Os **ayudaré**".	*que nos **ayudará**.*
"El viernes ya **habré solucionado** todo".	*que el viernes próximo ya **habrá solucionado** todo.*

Verbo introductor en:	**Estilo indirecto:**
presente / perfecto / futuro + **que** +	**tiempo verbal en el que estaba el verbo en el estilo directo.**

1 Siga el modelo

"Estoy muy contento con mi trabajo".   –Dice/ha dicho *que está muy contento con su trabajo.*

1. "Saldré de viaje mañana".   –_____

2. "Hemos alquilado un apartamento junto al mar".   –_____

3. "Aquí en España hace mucho calor en verano y me baño todos los días".   –_____

4. "No estábamos en casa cuando nos robaron".   –_____

5. "Cuando fui a verle, él ya se había ido".   –_____

6. "Esta semana ha llovido mucho".   –_____

7. "Si mañana hace buen tiempo, iremos de excursión".   –_____

8. "Vosotros habéis sido muy amables conmigo".   –_____

9. "Usted no debe fumar tanto".   –_____

10. "Tú eres para mí mi mejor amigo".   –_____

Estilo directo	Estilo indirecto
"¿A qué hora **empieza** el concierto?"	Él pregunta **que** a qué hora **empieza** el concierto.
"¿**Está** muy lejos la estación?"	Él pregunta **si está** muy lejos la estación.

Si en la pregunta directa no hay ningún pronombre interrogativo, utilizamos la conjunción *si* para introducir una pregunta indirecta.

2 Siga el modelo

Antonio me pregunta: "¿Cuándo empieza la película?"

–*Antonio me pregunta que cuándo empieza la película.*

1. "¿Dónde está la parada del autobús?" –_____
2. "¿Ha llegado ya el tren?" –_____
3. "¿A qué hora saldréis mañana de excursión?" –_____
4. "¿Ha comprendido usted todo?" –_____
5. "¿Estáis contentos con vuestro profesor?" –_____
6. "¿Cuánto cuesta un billete para Barcelona?" –_____
7. "¿Me ha llamado alguien por teléfono?" –_____
8. "¿Cuál es el camino más corto?" –_____
9. "¿Habéis oído las noticias?" –_____
10. "¿De quién es este abrigo azul?" –_____

Esquema gramatical 2

Estilo directo

Estilo indirecto

Él dijo/decía/había dicho:	**Él dijo/decía/había dicho**
"**Soy** español".	*que **era** español.*
"Yo **estaba** muy nervioso".	*que **estaba** muy nervioso.*
"**Llegué** ayer por la tarde".	*que **llegó** ayer por la tarde.*
"Me **he levantado** muy tarde".	*que se **había levantado** muy tarde.*
"Nosotros **habíamos salido** al cine".	*que ellos **habían salido** al cine.*
"**Voy** a visitar a mi amigo".	*que **iba** a visitar a su amigo.*
"Os **ayudaré**".	*que nos **ayudaría**.*
"El viernes ya **habré solucionado** todo".	*que el viernes ya **habría solucionado** todo.*

Verbo introductor en:

indefinido/imperfecto/pluscuamperfecto + que + **Estilo indirecto:** indefinido/imperfecto/pluscuamperfecto/condicional

3 Siga el modelo

"No me apetece la comida". **–Dijo/decía/había dicho *que no le apetecía la comida.***

1. "Nos casaremos el año que viene". –_____

2. "Ayer fui a ver a mis abuelos". –_____

3. "Cuando era joven, hacía mucho deporte". –_____

4. "Hay mucha gente en la cola". –_____

5. "No he podido llamaros por teléfono". –_____

6. "La semana próxima nos iremos de viaje". –_____

7. "Yo no sabía nada del asunto". –_____

8. "Yo ya me lo había imaginado". –_____

9. "Hemos visto una película muy interesante". –_____

10. "Os escribiré pronto". –_____

4 Siga el modelo

"¿Fuma usted mucho?" **–*Él me preguntó si fumaba mucho.***

1. "¿Hasta qué hora están abiertas las tiendas?" –_____

2. "¿A qué hora ha terminado la conferencia?" –_____

3. "¿Me puede usted ayudar?" –_____

4. "¿A qué hora estarás mañana en casa?" –_____

5. "¿Has comprendido todo?" –_____

6. "¿Cómo se ha enterado usted de la noticia?" –_____

7. "¿Eres feliz?" –_____

8. "¿Cuántos hermanos sois?" –_____

9. "¿Ha estado usted alguna vez en Japón?" –_____

10. "¿Dónde podré encontrar un taxi libre?" –_____

Stuttgart, 10 de marzo de 2007

Querido Pepe:

Desde hace más de un mes quiero escribirte, pero hasta ahora no he tenido tiempo para hacerlo. El motivo de mi carta es el siguiente: mi mujer y yo hemos pensado pasar las vacaciones de verano en algún pueblecito de la costa del Sol. Nos gustaría alquilar un pequeño apartamento junto al mar, por eso te quiero pedir el siguiente favor: ¿Nos podrías buscar, para el mes de agosto, un apartamento junto al mar? Estaríamos dispuestos a pagar hasta unos cien euros diarios. Espero que esta gestión no te robe mucho tiempo y que me contestes tan pronto como hayas solucionado el asunto.

Te agradezco de antemano tu colaboración, y ojalá nos podamos ver pronto. Muchos recuerdos de mi mujer, y para ti un fuerte abrazo de tu amigo

Hans

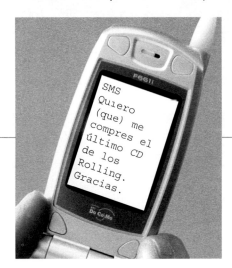

SMS
Quiero
(que) me
compres el
último CD
de los
Rolling.
Gracias.

Esquema gramatical 3

Orden/mandato en estilo indirecto

Estilo directo	Estilo indirecto
1. Él dice / ha dicho:	**1. Él dice / ha dicho**
"**Sed** puntuales".	*que **seamos** puntuales.*
"No **corras** tanto".	*que no **corra** tanto.*
2. Él dijo / decía / había dicho:	**2. Él dijo / decía / había dicho**
"**Trabaje** usted más".	*que **trabajara** yo más.*
"No **vengáis** tarde".	*que no **viniéramos** tarde.*

Verbo introductor en:		Estilo indirecto:
1. Presente / perfecto	**+ que +**	**presente de subjuntivo**
2. Indefinido / imperfecto / pluscuamperfecto	**+ que +**	**imperfecto de subjuntivo**

Estilo directo/indirecto

Llámame a las 7 por teléfono.
Él me dijo que le llamara a las 7 por teléfono.

Comed mucha fruta.
La madre les dice a los niños que _____

Préstame dinero.
Él me pidió que _____

Acompáñanos a casa.
Ellos me dijeron que _____

Tráigame un café.
Él me pidió que _____

Eche esta carta en Correos.
Él me ha dicho que _____

Apagad la luz.
Mamá dice que _____

Pregunten a aquel guardia.
Él nos aconsejó que _____

Fume sólo un cigarrillo al día.
El médico me ha dicho _____

No salgáis de noche.
Mi madre nos prohibía que _____

6 Siga el modelo

"Sal inmediatamente de la habitación".   –Él me dijo que saliera inmediatamente de la habitación.

1. "Tened paciencia". / *Él nos dice* _____

2. "Despiértame a las cinco". / *Ella me dijo* _____

3. "Cómprate los zapatos". / *Ella me ha dicho* _____

4. "Ponte el abrigo". / *La madre le dice al niño* _____

5. "Aprended las palabras". / *El profesor nos decía* _____

6. "Riega las flores". / *Mi padre me dice* _____

7. "No aparque usted aquí". / *El policía me dijo* _____

8. "Sé más aplicado". / *El profesor me ha dicho* _____

9. "Cerrad bien la puerta". / *Él nos había dicho* _____

10. "Deje usted de fumar". / *El médico me ha dicho* _____

Esquema gramatical 4

Locuciones prepositivas y preposiciones

a pesar de	A pesar del mal tiempo, se fueron de excursión.
a causa de / debido a	A causa de/debido a la niebla, se suspendió el vuelo.
en vez de / en lugar de	En vez de/en lugar de estudiar para el examen, se fue al cine.
según	Según las estadísticas, hay más mujeres casadas que solteras.
con	Con tanto ruido, me es imposible trabajar.
sin	Sin tu ayuda, no habría conseguido nada.

7 Coloque la preposición más apropiada

1. El accidente ocurrió _____ el mal estado de la carretera.

2. _____ el intenso tráfico, pudimos llegar a tiempo.

3. Conduzca _____ cuidado.

4. _____ un coche, se compró una bicicleta.

5. _____ mis noticias, él ha encontrado ya trabajo.

6. _____ una carta, le han mandado un telegrama.

7. Él está en la cama _____ mucha fiebre.

8. _____ gafas no puedo ver de lejos.

9. _____ estar enfermo, ha ido a trabajar.

10. _____ el fuerte viento, se ha caído la antena del tejado.

Estilo directo/indirecto

Me he comprado un nuevo coche.
¿Qué te dice Pedro en su carta?
Que se ha comprado un nuevo coche.

Aquí hace ahora mucho frío.
¿Qué te ha dicho tu hermana?
Que _____

Hoy nos quedaremos en casa.
¿Qué te ha dicho María?

¿Has leído ya el periódico?
¿Qué te ha preguntado Juan?

Cuando llegamos a París, llovía.
¿Qué te contaron ellos?

Si mañana hace buen tiempo, iremos a la playa.
¿Qué dice papá?

¿Cuántos años tienes?
¿Qué te ha preguntado Carmen?

¿Tienen ustedes algo que declarar?
¿Qué pregunta el policía?

Yo ya me había acostado, cuando llegó a casa Antonio.
¿Qué te ha contado Pilar?

¿Cuánto cuesta una entrada de cine?
¿Qué quiere saber él?

1. Espere un momento, que pronto _____ con usted.

2. La segunda parte del partido _____ muy aburrida, porque los jugadores ya _____ bastante cansados.

3. Mi hermana _____ de enfermera en una clínica privada.

4. ¿Qué te pasa? ¿Por qué _____ tan triste?

5. Oye, no grites tanto, que no _____ sordo.

6. Él _____ sordomudo de nacimiento.

7. El hijo de los vecinos _____ muy travieso. Siempre _____ haciendo alguna trastada.

8. Los mejores atletas suelen _____ negros.

9. Los alumnos _____ muy atentos en clase.

10. María _____ una persona muy atenta.

Ejercicio de puntuación

(...) El obispo camina lentamente con su capa morada y su bastón hacia la capilla del maestre don Juan viene alguna mañana a verle en la capilla del maestre el obispo dice misa todos los días a tientas ayudado por sus familiares hemos dicho que él hubiera querido ver tan sólo un pedazo de muro blanco y azul tal vez ni esta inocente concupiscencia tiene como Segur el otro obispo ciego el obispo de la pequeña ciudad exclama «qué me importa después de todo ver o no ver la luz exterior».

AZORÍN (1873-1967), *Don Juan*

Ejercicio de acentuación

A pesar de que yo era un niño, recuerdo bastante bien a mi padre. Era un tipo indiferente y algo burlon; tenia la cara expresiva, los ojos grises, la nariz aguileña, la barba recortada; por mis informes debia ser un tipo parecido a mi, con el mismo fondo de pereza y de tedio marineros; ahora, que no era triste; por el contrario, tenia una fuerte tendencia a la satira. Sentia una gran estimacion por las gentes del Norte, noruegos y dinamarqueses, con quienes habia convivido; hablaba bien el ingles, era muy liberal y se reia de las mujeres.

PÍO BAROJA (1872-1956),
Las inquietudes de Shanti Andía

Vida social

¿Hablamos? / Hablemos

¿A qué llamamos vida social? ¿El matrimonio es un acto social? ¿La presentación de un libro es un acto social? ¿Los actos benéficos son actos sociales? ¿Los políticos, actores y actrices participan en ellos?

Recordamos pautas conversacionales

Para pedir, ofrecer, aceptar y rehusar ayuda, empleamos:

– ¿Has visto mi…?; ¿Dónde habré puesto mi…?, Te necesito para…

– ¡Ya voy!; ¿Quieres/quiere que te/le ayude?

– Sí, claro que necesito ayuda; Sí, ¿puedes…?

– No, gracias, ya lo haré yo; No, gracias, muy amable.

Visita a un museo

Guía: Ahora, señoras y señores, vamos a ver varias salas que han sido inauguradas recientemente por el Ministerio de Cultura y que contienen obras muy importantes de la época romana. Esta primera sala, en donde nos encontramos ahora, está dedicada a todos los objetos, joyas y demás utensilios que han sido descubiertos en estos últimos años en la acrópolis romana de Mérida. Las excavaciones se iniciaron en 1978 y aún se sigue excavando y encontrando valiosas piezas de aquella época.

Manolo: ¿Para qué servían estas vasijas?

Guía: Estas vasijas que ven ustedes en esta vitrina se utilizaban para guardar el incienso y otros perfumes, a los que eran muy aficionados los romanos. Y, en aquellas vasijas grandes, era transportado el vino desde nuestra Península al Imperio Romano.

Consuelo: Y ese mosaico policromado, ¿qué representaba?

Guía: En la época romana, se solían decorar las casas con grandes mosaicos policromados, donde se representaba a los dioses protectores y a los familiares muertos.

Manolo: ¿Es éste un sepulcro romano auténtico, o una reproducción?

Guía: Cuando fue hallado este sepulcro, estaba en bastante mal estado, pero se han podido reunir las piezas que faltaban y ha sido completamente restaurado. Ahora constituye una de las piezas más valiosas de esta colección.

Guía: Como pueden ver, se describe con gran detalle y realismo la vida de un patricio romano. Se cree que pertenece a la época cristiana, ya que varios símbolos, como el pez que ven ustedes aquí a la izquierda, eran utilizados sólo por los cristianos.

Consuelo: ¡Qué interesante! Creo que volveré otra vez al museo para poder contemplar más despacio todas estas obras de arte. ¡Merece la pena repetir la visita!

Preguntas

1. ¿Cuándo han sido inauguradas las salas que van a ver ahora los turistas y por quién?
2. ¿Qué se puede ver en estas salas?
3. ¿A qué época está dedicada la primera sala?
4. ¿Dónde se han descubierto todos estos objetos?
5. ¿Cuándo se iniciaron las excavaciones? ¿Se sigue aún excavando?
6. ¿Para qué servían las vasijas expuestas en esta vitrina?
7. ¿Cómo se transportaba el vino español al Imperio Romano?
8. ¿Cómo se solían decorar las casas en la época romana?
9. ¿Cómo fue hallado el sepulcro romano y qué se describe en él?
10. ¿A qué época se cree que pertenece y por qué?

Esquema Gramatical 1

La voz pasiva: ser + participio de perfecto del verbo conjugado

presente:	El ministro **es recibido** por las autoridades.
imperfecto:	El ministro **era recibido** por las autoridades.
indefinido:	El ministro **fue recibido** por las autoridades.
perfecto:	El ministro **ha sido recibido** por las autoridades.
pluscuamperfecto:	El ministro **había sido recibido** por las autoridades.
futuro:	El ministro **será recibido** por las autoridades.
futuro perfecto:	El ministro **habrá sido recibido** por las autoridades.

(1) NOTA: El participio de perfecto concierta con el sujeto paciente en género y número:

El ministro ha inaugurado la exposición.   – La exposición ha sido **inaugurada** por el ministro.

La oposición critica los planes del gobierno.   – Los planes del gobierno son **criticados** por la oposición.

(2) NOTA: El agente aparece, normalmente, precedido de la preposición **por**.

Voz activa: Cervantes escribió El Quijote.

Voz pasiva: El Quijote fue escrito **por** Cervantes.

---

1 Siga el modelo

El profesor explica la lección.   –*La lección es explicada por el profesor.*

1. Marcelino Sanz de Sautuola descubrió las cuevas de Altamira.   –_____

2. La multitud vitoreaba al campeón.   –_____

3. Los investigadores han descubierto una medicina contra el cáncer.   –_____

4. El médico había operado al paciente.   –_____

5. Los ministros solucionarán el grave problema energético.   –_____

6. El pueblo aclamaba a sus reyes.   –_____

7. Los diputados aprobaron la ley mayoritariamente.   –_____

8. El rector ha inaugurado el curso.   –_____

9. Los trabajadores eligieron a diez representantes.   –_____

10. Las bombas destruyeron la ciudad.   –_____

Esquema Gramatical 2

Pasiva refleja:
se + tiempo verbal
en voz activa en 3.ª
pers. sing./plur.

Se alquila habitación.	Se alquilan habitaciones.
Se agotó la bebida.	Se agotaron las bebidas.
Se solucionará el problema.	Se solucionarán los problemas.

NOTA: No confundir esta construcción con el pronombre **se** impersonal, ni con el pronombre reflexivo **se**.

Ejemplo: *Se habla inglés y francés* (impersonal).
  Juan se lava la cara (reflexivo).

*En la actualidad, la pasiva refleja *(se han aprobado los proyectos)* es más usual que la forma pasiva formada con *ser* + participio perfecto del verbo conjugado *(los proyectos han sido aprobados)*.

2 Siga el modelo

Ella alquila habitaciones.   *–Se alquilan habitaciones.*

1. Esta tienda vende libros importados.   –_____

2. Los médicos tomarán medidas sanitarias.   –_____

3. El colegio necesita dos profesores.   –_____

4. Los gobiernos han acordado la paz.   –_____

5. Él invertía grandes cantidades de dinero.   –_____

6. La taquillera había vendido todas las entradas.   –_____

7. Los empresarios compraron maquinaria nueva.   –_____

8. Ellos habían agotado todas las provisiones.   –_____

9. El ministerio ha concedido dos becas de investigación.   –_____

10. Él vende coches de segunda mano.   –_____

3 Forme la pasiva refleja

Los proyectos han sido aprobados.   *–Se han aprobado los proyectos.*

1. La autopista es construida con capital extranjero.   –_____

2. Las botellas son embaladas cuidadosamente.   –_____

3. Todas las entradas han sido vendidas con antelación.   –_____

4. Por toda la sala fueron instalados micrófonos.   –_____

5. Todas las grabaciones serán conservadas en el archivo.

–_____

6. Los contratos han sido revisados.

–_____

7. El decreto fue aprobado.

–_____

8. Las comunicaciones eran interrumpidas continuamente.

–_____

9. Estas leyes han sido ya promulgadas.

–_____

10. Varias escenas fueron criticadas.

–_____

Esquema Gramatical 3

Pasiva de estado: estar + participio de perfecto del verbo conjugado

	Voz pasiva	**Pasiva de estado**
presente:	*El problema es solucionado.*	*El problema* **está solucionado.**
imperfecto:	*El problema era solucionado.*	*El problema* **estaba solucionado.**
indefinido:	*El problema fue solucionado.*	*El problema* **estuvo solucionado.**
perfecto:	*El problema ha sido solucionado.*	*El problema* **ha estado solucionado.**
pluscuamperfecto:	*El problema había sido solucionado.*	*El problema* **había estado solucionado.**
futuro:	*El problema será solucionado.*	*El problema* **estará solucionado.**

Nota: El participio de perfecto concierta con su sujeto en género y número.

La mesa ha sido **reservada.** *La mesa está* **reservada.**

4 Forme la pasiva de pasado

Él ha cerrado la caja con llave.   *–La caja ha estado cerrada con llave.*

1. Los enemigos sitiaron la ciudad durante dos meses.

–_____

2. Él encendía todas las noches la chimenea.

3. El ministro representará al gobierno.

–_____

4. Ellos organizaron muy bien la fiesta.

–_____

5. Él resuelve todo.

–_____

6. El secretario ha informado al presidente sobre la situación.

–_____

7. La policía retuvo dos horas al sospechoso.

–_____

8. A mi padre lo detuvieron en la guerra.

–_____

9. La policía ha cortado el tráfico.

–_____

10. Terminaremos el trabajo la semana próxima.

–_____

La voz pasiva

La policía ha cortado el tráfico en torno a la plaza.
El tráfico ha sido cortado por la policía en torno a la plaza.

Colón descubrió América.
América _____

Los rusos han lanzado un cohete a la luna.
Un cohete _____

Mucha gente recibirá al primer ministro.
El primer ministro _____

Un decorador francés decoró la casa.
La casa _____

Los trabajadores eligen a los representantes.
Los representantes _____

Las grúas descargaban las mercancías.
Las mercancías _____

Los trabajadores habían declarado la huega.
La huelga _____

El presidente suspendió la sesión.
La sesión _____

El juez lo ha condenado a un año de prisión.
Él _____

Expresión impersonal

En el campo se respira aire puro.

Dicen que el Presidente hablará mañana por televisión.

Se sirve a domicilio.

Ha llovido durante toda la noche.

Hay muchos accidentes de carretera.

Cuentan muchas historias.

Se rumorea que el Presidente irá a París.

¿Hace mucho frío en invierno en tu país?

Han invitado a los participantes a los toros.

Está granizando.

Visita a un museo

Esquema Gramatical 4

1. Los verbos que indican fenómenos atmosféricos se conjugan en tercera persona singular.

> *Llueve; nieva; graniza; truena.*
>
> *Hace frío, calor, sol, viento, buen tiempo.*
>
> *Hay mucha nieve en la sierra.*

2. Se + tercera persona singular. (Forma impersonal para ocultar el sujeto).

> *En este restaurante **se come** muy bien.*
>
> ***Se dice** que su partido triunfará en las elecciones.*

3. Verbo en tercera persona plural. (Forma impersonal para ocultar el sujeto).

> ***Dicen** que los dos partidos han llegado a un acuerdo.*
>
> ***Cuentan** que durante la guerra se cometieron muchas injusticias.*

5 Ponga los verbos que están entre paréntesis en el tiempo y forma adecuados

1. Se _____ *(alquilar)* pisos junto al mar.

2. Antes se _____ *(vivir)* mejor que ahora.

3. En el futuro se _____ *(mandar)* nuevos satélites al espacio.

4. Se _____ *(comentar)* que pronto habrá una nueva crisis de gobierno.

5. Este año se _____ *(vender)* menos coches que el año pasado.

6. Se _____ *(decir)* que pronto serán liberados los rehenes.

7. Aquí _____ *(nevar)* mucho en invierno.

8. Se _____ *(prohibir)* fumar aquí.

9. A partir de las 9 de la noche no se _____ *(permitir)* visitas.

10. Hoy _____ *(haber)* sopa de mariscos y pollo asado.

Esquema Gramatical 5

Perífrasis verbales con gerundio

andar		*Él **anda** dando recitales por todas partes.*
acabar		***Acabamos** cenando en un restaurante chino.*
empezar		*El conferenciante **empezó** hablando de los últimos descubrimientos.*
estar		***Estoy** leyendo una novela muy interesante.*
ir	**+ gerundio**	*El enfermo **va** mejorando.*
llevar		***Llevo** conduciendo todo el día.*
seguir/continuar		***Siguieron/continuaron** bailando hasta las doce.*
venir		*¿Qué **has venido** haciendo hasta ahora?*
terminar		***Terminaron** hablando de política.*

6 Siga el modelo

Los precios no cesan de subir./*seguir*. —*Los precios siguen subiendo.*

1. Los alumnos llegan poco a poco./*ir*. – _____

2. Ellos hablan aún./*continuar*. – _____

3. Los anticuarios compran en todas partes./*andar*. – _____

4. Él se enfadó./*terminar*. – _____

5. Hemos jugado al tenis./*estar*. – _____

6. Él trabajó de botones en un hotel./*empezar*. – _____

7. Vivo en Santander desde hace tres años./*llevar*. – _____

8. El público no dejaba de aplaudir./*seguir*. – _____

9. Los médicos auscultan al enfermo./*empezar*. – _____

10. Ellos siempre se pelean./*acabar*. – _____

Esquema Gramatical 6

Algunos valores del gerundio

1. En lugar de una oración temporal.
   Luis ve la televisión mientras cena. *Luis ve la televisión **cenando**.*

2. En lugar de una oración condicional.
   Si sabes escuchar, siempre te respetarán. ***Sabiendo** escuchar, siempre te respetarán.*

3. En lugar de una oración causal.
   Como él es hijo del jefe, tiene muchas ventajas. ***Siendo** hijo del jefe, tiene muchas ventajas.*

7 Utilice el gerundio

Escucho música mientras estudio. –*Escucho música estudiando.*

1. Si cumples con tu obligación, nadie te podrá echar del trabajo. – _____

2. ¿Podéis estudiar mientras veis la televisión? – _____

3. Si le ayudamos todos, él saldrá adelante. – _____

4. Como Madrid es la capital de España, viene mucha gente a buscar aquí trabajo. – _____

5. Nos gusta charlar mientras paseamos por el parque. – _____

6. Si usted paga al contado, le haremos un descuento.

–_____

7. Como te levantas tan temprano, es lógico que a estas horas estés cansado.

–_____

8. Si me llevas a casa, me harás un gran favor.

–_____

9. Mientras pasean por las calles, miran los escaparates.

–_____

10. Si trabajamos todos juntos, conseguiremos algo positivo.

–_____

Esquema Gramatical 7

Diminutivos

-ito(s), -ita(s)	árbol-*ito* mes-*ita*	*Hemos plantado varios arbol**itos** en el jardín.* *Esta es una mes**ita** muy baja.*
-illo(s), -illa(s)	perr-*illo* chiqu-*illa*	*Nuestra perra ha tenido cuatro perr**illos**.* *Ella todavía es una chiqu**illa**.*
-cito(s), -cita(s)	calor-*cito* madre-*cita*	*Aquí hace calor**cito**.* *Mi madre**cita** querida.*
-ecito(s), -ecita(s)	sol-*ecito* flor-*ecita*	*¡Qué sol**ecito** más bueno!* *Mira cuántas flor**ecitas** hay aquí.*

8 Siga el modelo

En esta habitación hay un *olor* raro.   *–En esta habitación hay un olorcillo raro.*

1. Se veían dos *luces* en la lejanía.

–_____

2. ¿Dónde está mi *máquina* de afeitar?

–_____

3. Mi *abuela* nos cuenta muchos cuentos.

–_____

4. Luisito juega con la *pelota*.

–_____

5. Ya va haciendo *fresco*.

–_____

6. Déme el *cuaderno*.

–_____

7. Hay muchos *peces* en el estanque.

–_____

8. Allí pondremos dos *sillones*.

–_____

9. Tus gafas están en la *mesa* de noche.

–_____

10. Detrás de la casa hay una *puerta* que conduce al sótano.

–_____

9 Diga lo contrario

Tengo una *mala* noticia para ti.   —*Tengo una buena noticia para ti.*

1. Él se ducha con agua *caliente.*   —_____

2. Antonio es un *mal* estudiante.   —_____

3. La carta es muy *breve.*   —_____

4. Ésta es una pregunta muy *difícil.*   —_____

5. Este trabajo es el *mejor* de todos.   —_____

6. El asunto es muy *complicado.*   —_____

7. Hoy estamos muy *tristes.*   —_____

8. Hemos visto una película muy *aburrida.*   —_____

9. Juan es muy *perezoso.*   —_____

10. El ayuntamiento está en un edificio *moderno.*   —_____

Ortografía

Uso de la *b*

Se escriben con *b*:

1. Todos los verbos terminados en **-bir, -buir, -aber** y **-eber,** excepto *hervir, servir, vivir, precaver* y *atrever.*

   La terminación **-ba, -bas, -ba, -bamos, -bais, -ban** del pretérito imperfecto de indicativo de los verbos de la primera conjugación. Asimismo, el imperfecto de indicativo del verbo **ir.**

2. Los vocablos que comienzan por **bibl-, bea-, abu-, bi-, bene-, bu-, bur-, bus-:**

   biblioteca, beatitud, abuelo, bisabuelo, benefactor, buscar, bursátil.

3. Los vocablos acabados en **-bilidad, -bundo, -bunda,** excepto *movilidad* y *civilidad.*

   Toda voz que termine en **-b.**

   Antes de cualquier consonante.

   amabilidad, habilidad, abundante, vagabundo, meditabundo, Jacob, querub, amable, brazo, abnegación, obstruir.

10 Ponga la grafía correcta

1. Cuando acaba_an las clases, se i_an al bar.

2. Estuve en la _iblioteca de la Facultad.

3. Los niños i_an todos los días a saludar al a_uelo.

4. Es un experto en conta_ilidad.

5. Atri_uían los acuerdos al jefe de go_ierno.

6. Habla_an todos al mismo tiempo.

7. Los alumnos le hacían _urla en clase.

8. El vehículo adquirió una gran mo_ilidad.

9. La bandera es _icolor.

10. La _rújula ayuda a los montañeros.

Ejercicio de entonación

En un rincón, una pareja que ya no se coge las manos, mira sin demasiado disimulo.

–¿Quién es esa conquista de Pablo?

–No sé, parece una criada, ¿te gusta?

–Psché, no está mal…

–Pues vete con ella, si te gusta, no creo que te sea demasiado difícil.

–¿Ya estás?

–Quien ya está eres tú. Anda, rico, déjame tranquila, que no tengo ganas de bronca; esta temporada estoy muy poco folclórica.

El hombre enciende un pitillo.

–Mira, Mari Tere, ¿sabes lo que te digo?, que así no vamos a ningún lado.

–¡Muy flamenco estás tú! Déjame si quieres, ¿no es eso lo que buscas? Todavía tengo quien me mire a la cara.

–Habla más bajo, no tenemos por qué dar tres cuartos al pregonero.

CAMILO JOSÉ CELA (1916-2000), *La Colmena*

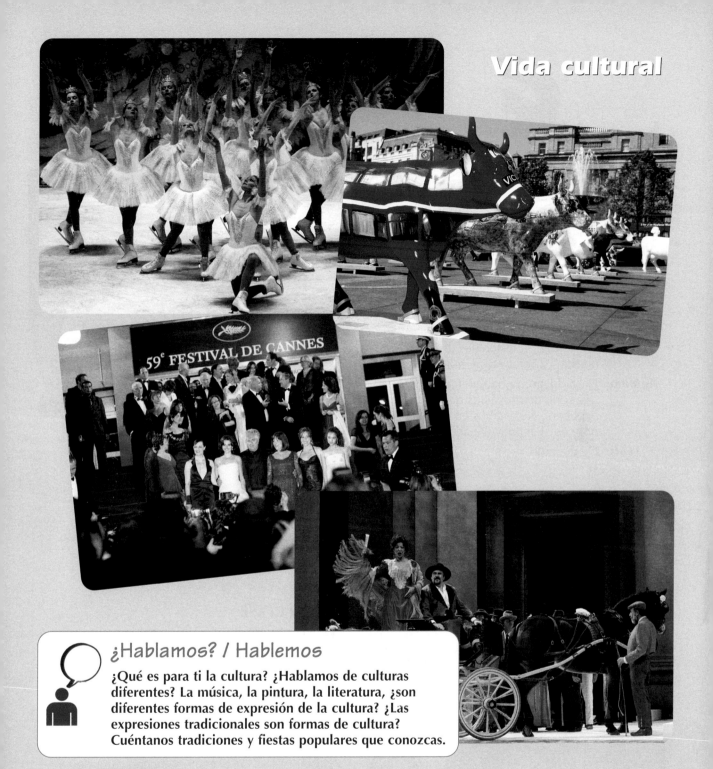

¿Hablamos? / Hablemos

¿Qué es para ti la cultura? ¿Hablamos de culturas diferentes? La música, la pintura, la literatura, ¿son diferentes formas de expresión de la cultura? ¿Las expresiones tradicionales son formas de cultura? Cuéntanos tradiciones y fiestas populares que conozcas.

Recordamos pautas conversacionales

Para solicitar, aceptar o rehusar una cita, empleamos:

– Quería pedir hora para…; ¿Te va bien a las…?; ¿Te viene bien en…?

– Sí, me va bien; Le puedo dar hora para…; Sí, allí estaré puntualmente.

– Si fuera a otra hora; No, no podré estar…; Me sabe mal, pero…

Lección 8

En la facultad

Antonio: ¡Hola, Luis! ¿Adónde vas tan deprisa?

Luis: A clase. Acaba de entrar el profesor y no quiero perderme la explicación de hoy. Nos había prometido que nos iba a explicar las salidas profesionales de nuestra carrera. Adiós, adiós…

Antonio: Hasta luego. Ya hablaremos. Tengo una serie de proyectos que ya te explicaré. Nos vemos en el bar a la hora de siempre. ¿De acuerdo?

Luis: De acuerdo.

EN CLASE

El profesor: …Como les había anunciado, hoy vamos a comentar algunos aspectos importantes en relación con la salida profesional de sus especialidades.

Es bien sabido por todos ustedes que las especialidades llamadas tradicionalmente Humanidades, excepto la licenciatura de Derecho, están abocadas, en su mayoría, a la docencia. El resto de las salidas profesionales casi ha desaparecido, por lo que su preparación debe ir encaminada en esa dirección…

EN EL BAR

Antonio: ¿Qué tal? El profesor os despejó muchas dudas, ¿o no?

Luis: Bueno, la verdad es que nos habló muy sinceramente y nos vino a confirmar lo que ya presumíamos: que el porvenir en la enseñanza no es nada halagüeño.

Antonio: Nos queda la creación. Somos los intelectuales del futuro. Pero dejemos de pensar en ello. Te invito a un recital extraordinario. Se trata nada más y nada menos de…

Luis: Aún me queda tiempo para preparar oposiciones. Iré.

EN EL RECITAL

Luis: Oye, Antonio, el cantautor es demasiado flojo. No ajusta la letra a la música.

Antonio: Ya lo sé, pero con un poco de práctica corregirá ése y otros fallos.

Luis: Pues, paciencia.

Antonio: Pero, escucha, ¡qué letra! ¡Estamos ante un verdadero intelectual!

Preguntas

1. ¿Adónde va Luis cuando le saluda Antonio?
2. ¿Por qué va Luis tan deprisa?
3. ¿Qué les dice el profesor?
4. ¿Para qué quiere Antonio hablar con Luis?
5. ¿Tiene la licenciatura en Derecho pocas salidas?
6. ¿Cuáles son las salidas profesionales de las especialidades de Humanidades?
7. ¿Se dedicará Luis a la docencia?
8. ¿Qué tiene que preparar Luis en un futuro próximo?
9. ¿Es bueno el cantautor?
10. ¿Es profundo su pensamiento?

En la facultad

Esquema gramatical 1

Expresión de la causa

1. Mediante las conjunciones: **porque, pues, puesto que, ya que, como.**
2. Mediante las locuciones: **a causa de que, por cuanto, en vista de que.**
3. **Por, a causa de, debido a** + sustantivo.
4. **Por** + infinitivo.

> No bebo **porque** me hace daño.
>
> No vendrá, **ya que** está enfermo.
>
> **En vista de que** no estudia, se quedará sin premio.
>
> Cantaron **por** obligación.
>
> **Por** correr demasiado, se hizo daño.

1 Exprese la causa

Iré al mercado _____ no llueve.   –Iré al mercado ya que no llueve.

1. Nos iremos _____ que es hora de cenar.   –_____
2. Pagamos más _____ ha subido la vida.   –_____
3. Llora _____ le han castigado.   –_____
4. El avión no pudo aterrizar _____ la niebla.   –_____
5. Está en la cárcel _____ infringir la ley.   –_____
6. _____ tus exámenes, no iremos de vacaciones.   –_____
7. _____ siempre gana, apostaremos por él.   –_____
8. No entiendo la letra _____ escribe muy mal.   –_____
9. Se quedó dormido _____ tenía mucho sueño.   –_____
10. No podía correr _____ su cojera.   –_____

2 Forme la oración causal

Caliéntame el café./está frío.   –Caliéntame el café, pues está frío.

1. Se suspendió el partido de rugby./nevaba.   –_____
2. Estuvieron en el circo./invitar.   –_____
3. Engordó./comer demasiado.   –_____
4. Adelgazaste./hacer régimen.   –_____
5. Ven a recogerme./sales pronto.   –_____
6. Lo suspendieron./no respondió.   –_____
7. Abre la puerta./tienes la llave.   –_____
8. Estuvo en prisión./estafó a sus amigos.   –_____
9. Vendrán a buscarnos./es tarde.   –_____
10. Id de viaje./pasarlo bien.   –_____

Locuciones prepositivas

El agua está *por encima* del puente.

El agua está *por debajo* del puente.

María salió *con destino a* Toledo.

Mercedes aprobó *a fuerza de* trabajar.

La niña iba *en medio de* los padres.

La niña iba *por delante de* los padres.

Luchó *en favor de* los débiles.

Jugó *en lugar de* Antonio.

Tomó el sol *en vez de* nadar.

Se mantuvo *en contra de* todos.

En la facultad

3 Ponga la locución prepositiva más adecuada

1. Ella pasó _____ mí y no la vi.
2. _____ estudiar para el examen, se fueron a bailar.
3. _____ su hermano, ha venido su hermana.
4. Nosotros hemos votado _____ proyecto.
5. El Himalaya está _____ Montblanc.
6. Vuestro equipo está _____ nuestro en la clasificación general.
7. Los pasajeros _____ Barcelona tienen que presentarse en la puerta de embarque nº 6.
8. Lo conseguimos _____ mucho trabajo.
9. Ella siempre trabajó _____ los pobres.
10. _____ la plaza hay una fuente muy bonita del siglo xv.

Esquema Gramatical 2

Expresión de la consecuencia

1. Mediante las conjunciones: **luego, conque, así que, por (lo) tanto, así pues, por consiguiente.**
   *No tengo dinero, **así que** no me puedo comprar un coche.*
   *Hace frío, **así que** abrígate.*

2. **Tan + adjetivo + que.**   *Es **tan** listo que nadie le puede engañar.*
3. **Tal + nombre + que.**   *Dijo **tales** palabras que todos se sintieron conmovidos.*
4. **Tanto + nombre + que.**   *Tiene **tantos** juguetes que no hay sitio en su habitación.*
5. **Tanto + verbo + que.**   ***Tanto** estudié que aprobé.*
6. **Tan + adverbio+ que.**   *Voy **tan** lejos que tardaré más de dos horas en llegar.*

NOTA: La proposición consecutiva se construye normalmente en indicativo o en imperativo.

4 Complete la frase

Es _____ listo que *(descubrir)* la verdad.   –*Es tan listo que descubrió la verdad.*

1. Dio _____ grito que *(retumbar)* la casa. –_____
2. Tiene _____ juguetes que no *(jugar)* con ninguno. –_____
3. _____ come que *(reventar)* algún día. –_____
4. Vivo _____ cerca que *(ir)* andando al trabajo. –_____
5. Dijo _____ disparates que nos *(asombrar)*. –_____
6. Canté _____ que *(quedarse)* afónico. –_____
7. Tiene _____ problemas que *(necesitar)* nuestra ayuda. –_____
8. Escribe _____ alegremente que no *(tener en cuenta)* la ortografía. –_____
9. Adujo _____ razones que nadie le *(contradecir)*. –_____
10. Anduve _____ que *(sentirse)* cansado. –_____

Esquema Gramatical 3

a	*Al día siguiente, a la mañana, al mediodía, al anochecer, al atardecer, al amanecer.*
de = durante	*En tiempos de examen, estudiábamos de noche.*
la fecha	*Estamos a 5 de diciembre.* *Nació el (día) 3 de enero de 1997.*
en	*En verano, en invierno, en abril.*
por	*Hoy por la mañana, ayer por la tarde.*
tras = después de	*Le encontramos tras mucho buscarle.*

5 Coloque la preposición adecuada (a, de)

1. En Santander hace más calor _____ día que _____ noche.

2. Todos los días te acuestas _____ las 12 _____ la noche.

3. _____ mañana, temprano, estudio mejor.

4. Llegó de viaje _____ medianoche.

5. _____ noche todos los gatos son pardos.

6. _____ madrugada solía despertarse.

7. Estamos _____ 5 _____ febrero.

8. Mi abuelo murió el 5 _____ febrero _____ 1999.

9. En el turno _____ noche se trabaja más que en el _____ día.

10. ¿_____ cuántos estamos hoy?

6 Coloque la preposición adecuada

1. _____ diciembre viajaremos a España.

2. Hoy _____ la tarde saldremos de paseo.

3. Le encontraron _____ medianoche.

4. ¿A qué hora os levantáis _____ la mañana?

5. _____ los acuerdos, firmaron la paz.

6. _____ abril, aguas mil.

7. Ayer _____ la tarde, estuve en el circo.

8. _____ los próximos años vivirán mejor las personas.

9. _____ la mañana no puedo tomar café.

10. _____ la entrevista, le contrataron para actuar en la obra.

Esquema Gramatical 4

Expresiones + subjuntivo

> a no ser que
> como no sea que   **+ subjuntivo**
> con tal (de) que
> siempre que
>
> con tal de ──────→ **+ infinitivo**

7 Ponga la forma correcta

1. Siempre que (portarse bien) _____, tendrás un premio.

2. Con tal que mi hijo (hacer) _____ los deberes, me doy por satisfecho.

3. Con tal de (adelgazar) _____, me pondré a régimen.

4. Como no sea que el abogado (llamarme) _____ el lunes, hasta ahora no tengo noticias del asunto.

5. A no ser que (correr) _____ mucho, no le alcanzarás.

6. Con tal de (progresar) _____, es capaz de cualquier cosa.

7. Siempre que me (necesitar) _____, llámame.

8. Con tal que (aprobar) _____, me doy por contento.

9. Como no sea que él nos (ayudar) _____, no solucionaremos este problema.

10. La corrida comenzará a las 5 de la tarde, a no ser que (llover) _____ a cántaros.

8 Ponga la forma correcta

1. No creo que la carta (aparecer) _____ en el despacho.

2. No era cosa de que tú (decírselo) _____ en aquel momento.

3. Le enfadó que yo no (acordarse) _____ de su cumpleaños.

4. Dudo que (atreverse) _____ a cantar.

5. (Ser) _____ como (ser) _____, tienes que presentarte al examen.

6. Desconozco cuánta sangre (poder) _____ haber perdido.

7. (Llegar) _____ cuando (llegar) _____, nos dará una grata alegría.

8. En mi opinión, es mejor que tú (quedarte) _____ en la estación y (esperar) _____.

9. Yo no podía creer que él (escalar) _____ la montaña.

10. No pensaba que te (ir) _____ a molestar mi pregunta.

Preposiciones agrupadas

El perro salió *de entre* los arbustos.

De ciento veinte euros *a* sesenta.

Llueve *desde por* la tarde.

Llegaron *hasta de* Groenlandia.

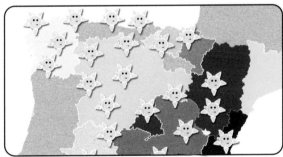

Hace calor *hasta en* el Norte.

Déjalo *para por* la tarde.

Huyó *por entre* los policías.

Ve cine *hasta por* la televisión.

En la facultad

9 Preposiciones agrupadas

1. Su padre trabaja _____ la mañana _____ la noche.
2. Estos jerseys están rebajados _____ 60 _____ 40 euros.
3. _____ todos los candidatos, el jefe de personal seleccionará al mejor.
4. Al congreso acudió gente _____ Australia.
5. Dejaré el paseo _____ por la tarde.
6. El ladrón huyó _____ la multitud.
7. A pesar de la calefacción, hoy hace frío _____ casa.
8. Él echa humo _____ las orejas.

Ortografía

Uso de la v

Se escriben con v:

1. El pretérito indefinido, el imperfecto y el futuro de subjuntivo de los verbos *estar, andar, tener* y sus compuestos. Asimismo, los presentes de indicativo, imperativo y subjuntivo del verbo *ir*:

    anduve, tuviste, tuviera, estuvieras, voy, vayas, va.

2. Los vocablos que comienzan por **ad-, vice-, villa-, villar-:**

    advierto, advertir, adversario, adverbio, vicecanciller, vicecónsul, vicepresidente, villancico, villano, Villarcayo.

3. Las palabras llanas acabadas en **-ave, -avo, -eva, -eve, -evo, -iva, -ivo, -viro, -vira** y las esdrújulas acabadas en **-ívora, -ívoro:**

    cueva, cautiva, declive, activo, esclavo, breve, grave, carnívoro, triunviro, Elvira.

10 Ponga la grafía correspondiente

1. Antonio andu_o buscando a El_ira.
2. Pedro ad_irtió del peligro al _icepresidente.
3. El equipo contrario fue un excelente ad_ersario.
4. El tema será el ad_erbio y sus di_ersas clases.
5. El boxeador estu_o en decli_e toda la pelea.
6. Por Navidad cantaron _illancicos.
7. En _illanueva de los Infantes estu_o Quevedo.
8. Juan es muy acti_o.
9. Es e_idente que sabe mucho inglés.
10. El traje es demasiado llamati_o.

Ejercicio de puntuación

Cuando la guerra había unos colegios de párvulos con el refugio al lado y nos bajaban a los niños al refugio una bodega o una catacumba en cuanto sonaban las sirenas pero los niños no teníamos nunca sensación de peligro pues la muerte es un concepto y los niños no estábamos para conceptos lo mejor del bombardeo de las sirenas de los aviones de los refugios era que no había que estudiar ni dar la lección y que descubríamos de pronto los niños que la tabla de multiplicar no era una ceremonia ininterrumpible sagrada como una misa o una boda sino que el vagido de una sirena hacía saltar esa tabla y todos corríamos por encima de los pupitres.

FRANCISCO UMBRAL (1935-), *Memorias de un niño de derechas*

Cursos de Lengua y Cultura Españolas para Extranjeros

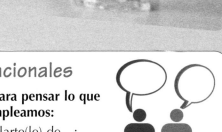

¿Hablamos? / Hablemos

¿Qué carrera te gusta más? ¿Qué estudios has realizado? Cuenta tu experiencia educativa. ¿Te gustaría dedicarte a la enseñanza? ¿Hay que tener vocación para ser educador? ¿Enseñanza pública? ¿Enseñanza privada?

Recordamos pautas conversacionales

Para iniciar o concluir una conversación, para pensar lo que se va a decir, para afirmar o negar algo, empleamos:

– Quiero decirte(le) que…; Me gustaría hablarte(le) de…; ¿Le molesta que fume?

– Ya te lo he contado; No quiero saber más; Se acabó.

– Es que…; A ver…; Yo diría…; Pues verás…

– ¡Claro, hombre, claro!; ¡Que sí, hombre, que sí!; Está claro que sí.

– ¡Que no, que no y que no!; Está claro que no; Seguro que no; Es evidente que no; ¡Qué va!

En la facultad

Noche de fiesta

Lección 9

POR TELÉFONO

Juan: ¿Mercedes? ¡Hola! Soy Juan. ¿Cómo estás?

Mercedes: Bien, enhorabuena por tu oposición. Estarás muy contento, ¿no?

Juan: Contentísimo. Por eso te llamo; quiero invitaros esta noche. ¿Podrías avisar a Lucía y Pedro?

Mercedes: No sé si Pedro y Lucía podrán venir, lo intentaré. Pero, ¿dónde?, ¿a qué hora quedamos?

Juan: Podríamos quedar a las siete y media en la Cava Baja, en el mesón de la Tortilla. Tomar algo por allí y después ir a bailar a una discoteca o a una sala de fiestas. ¿Te parece bien?

Mercedes: Por mí, encantada. Hasta luego y gracias.

EN EL MESÓN

Mercedes, Pedro y Lucía: ¡Enhorabuena por tu oposición, y que apruebes muchas más!

Juan: Espero que sea la última. Es muy desagradable el oficio de opositor. ¡Camarero! Por favor, ponga tres blancos y un tinto (que sean de La Mancha).

Mercedes: …y unos pinchos de tortilla, una ración de morcilla…

Pedro: …por mí, con una ración de pulpo, me es suficiente.

Lucía: …para mí, unos calamares.

Camarero: Marchando: tres blancos y un tinto; ración de tortilla, morcilla, pulpo, calamares… ¿Quieren algo más?

Juan: De momento, no lo sé. ¿Queréis algo más?

Pedro: Sí, pídeme otro vino. Tenía mucha sed.

Mercedes: Una cerveza.

Pedro: Ahora no, no es bueno tomarla después del vino. Pide un vino con gaseosa.

Mercedes: ¡No! El vino solo. No me gusta mezclarlo con gaseosa. Por el contrario, sí me gusta la sangría.

Lucía: ¡Camarero! ¿Tiene sangría? ¿Sí? Pues pónganos para dos. ¿Alguien más quiere sangría?

Pedro y Juan: Nosotros.

Lucía: ¡Camarero! Una jarra de sangría.

Preguntas

1. ¿Para qué llama Juan a Mercedes?

2. ¿Qué quiere celebrar Juan?

3. ¿Dónde quedan?

4. ¿A qué hora?

5. ¿Pedro y Lucía van también?

6. ¿Por qué le dan la enhorabuena a Juan?

7. ¿Qué piden de beber en el mesón? ¿Y de comer?

8. ¿Por qué no pide Mercedes vino con gaseosa?

9. ¿Le gusta a Mercedes la sangría?

10. ¿Cómo se divierte la gente en su país?

Esquema gramatical 1

- Mediante la conjunción: **Si.**

- Por otras conjunciones: **A condición de que, a menos que, en caso de, en el caso de que, con que, con tal (de) que, como, siempre que, en el supuesto de que.**

Si lleve, no haremos la excursión.

Te castigaré como salgas de casa.

En el caso de que llame, dile que ya lo sé.

Con que llueva poco, me conformo.

Te regalo el encendedor a condición de que lo utilices.

No le prestes dinero a menos que no tenga.

Saldrá de prisión en el supuesto de que lo indulten.

Te compraré una bicicleta siempre que traigas buenas notas.

Alcanzarás el premio con tal que te lo propongas.

En caso de peligro, apriete el botón.

1 Utilice otras conjunciones

Si subo por la escalera, haré ejercicio.   *–Como suba por la escalera, haré ejercicio.*

1. Si vas a clase, aprenderás mucho.   –_____

2. Si piensas demasiado, te dolerá la cabeza.   –_____

3. Si se retrasa el tren, perderemos el avión.   –_____

4. Si vamos a este cine, veremos una buena película.   –_____

5. Si estudiáis mucho, aprobaréis el curso.   –_____

6. Si hacéis el viaje en barco, os gustará.   –_____

7. Si practicáis el fútbol, os sentará bien.   –_____

8. Si vienes con nosotros, te invitaremos a comer.   –_____

9. Si vas al médico, te recetará antibióticos.   –_____

10. Si tiene usted algún problema, llámeme por teléfono.   –_____

Esquema gramatical 2

Expresión de la condición

Condición realizable	Indicativo	Si quieres, ven a casa. Si tienes miedo, te acompañaré. Si ha llamado, le habrán dado el recado.
	Imperativo	Sigue mi consejo y no tendrás problemas.
Condición irrealizable o simple hipótesis	Subjuntivo	Si viviera tu padre, estaría orgulloso de ti. Si mañana nevara, podríamos ir a la sierra. Si hubiera nevado, habríamos ido a la sierra.
	Infinitivo precedido de *de* o *caso de*	De haber seguido mi consejo, no estarías ahora en esta situación. Caso de salir todo bien, podremos tomarnos unos días de descanso.
	Gerundio	Bañándote no tendrías calor.
	Con un complemento de modo detrás de *con* o *sin*	Con la luz encendida, no hubieras tropezado.

Si (+ viene, + viniera/viniese, + ha venido, + hubiera venido, + hubiese venido…)

No: *Si* (+ vendrá, + vendría, + habrá venido, + habría venido…)

2 Ponga el tiempo correspondiente

1. Si hubieses llegado pronto, nosotros *(esperarte)* _____.

2. Si ha ido con él, *(aburrirse)* _____ de todas, todas.

3. Si a usted no le molesta, *(quedarme)* _____ esperando.

4. Si no te gusta esta comida, *(poder)* _____ pedir otra.

5. Caso de que Pedro *(venir)* _____, avísame.

6. De tener dinero, *(comprar)* _____ muchos libros.

7. Si sale el avión con puntualidad, *(llegar)* _____ a su destino.

8. En el caso de que todo *(ir)* _____ bien, *(aprobar)* _____ la oposición.

9. Si hubieras estado aquí, no *(ocurrir)* _____ lo que pasó.

10. Si te hubieras abrigado, no *(coger)* _____ frío.

3 | Siga el modelo

Si enciendes la luz, no tropezarás.

–*Encendiendo la luz, no tropezarás*

–*De haber encendido la luz, no hubieras tropezado.*

–*Con la luz encendida, no habrías tropezado.*

1. Si estudias, aprobarás las oposiciones. –_____

2. Si andamos despacio, llegaremos tarde. –_____

3. Si jugamos a la lotería, nos tocará. –_____

4. Si tomamos el sol, nos pondremos morenos. –_____

5. Si llueve, no iremos al campo. –_____

6. Si aprobáis el curso, os regalaré una moto. –_____

7. Si cantas, nos alegrarás mucho. –_____

8. Si vamos a los toros, nos divertiremos. –_____

9. Si viajamos en avión, iremos rápido. –_____

10. Si gritas, despertarás a los demás. –_____

4 | Exprese la condición

Él ha suspendido el examen porque no ha estudiado nada.

–*Si hubiera estudiado, habría aprobado el examen.*

1. No pude ir a la fiesta porque estaba enfermo.

   –_____

2. No fuimos de excursión porque hacía muy mal tiempo.

   –_____

3. Tú no quieres hablar con tu jefe porque le tienes miedo.

   –_____

4. No quisisteis escucharme y ahora estáis pagando las consecuencias.

   –_____

5. No podemos ir a esquiar porque no hay nieve en la sierra.

   –_____

6. Él mató a su suegra y por eso está ahora en la cárcel.

   –_____

7. Te han puesto una multa porque has aparcado en un sitio prohibido.

   –_____

8. El coche se salió de la calzada porque iba a gran velocidad.

   –_____

9. Vosotros no leéis la prensa y por eso no estáis bien informados.

   –_____

10. Ella se casó con un *viva la vida* y ahora está arrepentida.

    –_____

5 Siga el modelo

Jugando al ajedrez no te aburrirías.

–Si juegas al ajedrez, no te aburrirás.
–Si jugaras al ajedrez, no te aburrirías.

1. Bebiendo mucho vino, te emborracharías.   –_____
2. Cerrando la puerta, no habría corriente.   –_____
3. Poniendo la televisión, verías las noticias.   –_____
4. Haciendo *camping*, ahorraríamos dinero.   –_____
5. Comprando la prensa, estaríais bien informados.   –_____
6. Asistiendo a los conciertos, oiríamos buena música.   –_____
7. Escuchando a los demás, nos equivocaríamos menos.   –_____
8. Fumando menos, estaríamos mejor físicamente.   –_____
9. Yéndote a Inglaterra, mejorarías tu inglés.   –_____
10. Ahorrando, podríamos comprar el coche.   –_____

Esquema Gramatical 3

Prefijación

a-, an-	privación, negación:	*anormal, atípico*
anfi-	alrededor, ambos:	*anfiteatro, anfibio*
ante-	anterioridad:	*anteproyecto*
anti-	oposición:	*antialcohólico*
archi-	preeminencia:	*archimillonario*
circun-	posición o movimiento alrededor:	*circunferencia, circunvalación*
de-, des-	privación, negación:	*devaluar, desanimado*
dia-	a través de:	*diagonal*
en-, em-	interioridad:	*encerrar, empaquetar*
endo-	interno:	*endogamia*
entre-	situación intermedia:	*entreacto*
epi-	encima, junto a:	*epidemia*
eu-	bien, bueno:	*eufemismo*
ex-	dirección hacia fuera, cesación:	*exponer, excluir, ex presidente*
extra-	situación exterior:	*extraterrestre*
hipo-	inferioridad, disminución:	*hipotenso*
hiper-	exceso:	*hipertenso*
in-, im-, infra-	inferioridad, defecto, negación, dentro de:	*increíble, imperfecto, infrahumano*
pos-, post-	posterioridad:	*posguerra, postoperatorio*
pre-	anterioridad:	*prevenir*
sub-	inferioridad:	*subordinado*
supra-	situación más arriba:	*suprasensible*
trans-, tras-	situación al otro lado:	*transatlántico, trasplantar*
ultra-	situación más allá:	*ultramar*

Prefijos

Anemia

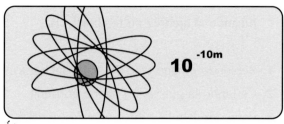

Átomo

Anfiteatro

Archipiélago

Epitafio

Enciclopedia

Diagnóstico

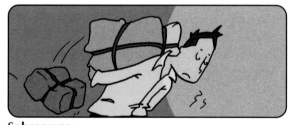

Sobrecarga

Hipermercado

Prejubilado

6 Utilice el prefijo más adecuado

1. La Unión Europea quiere evitar una nueva _____valuación del euro con respecto al dólar.
2. Ellos viven en la _____planta y nosotros en el segundo.
3. Por desgracia hay en el mundo muchos _____alfabetos que no saben ni escribir su nombre.
4. Muchas personas están de acuerdo con la _____tanasia cuando la enfermedad es _____curable.
5. El _____presidente del gobierno se ha negado a hacer declaraciones a la prensa.
6. Los _____derechistas recurren muchas veces al uso de la fuerza para _____poner sus ideas.
7. En los _____radios de las grandes ciudades viven muchas personas en condiciones _____humanas.
8. Hay que _____poner la razón a los sentimientos.
9. Él es _____divorcista y _____conciliar en sus creencias religiosas.
10. Antes de tomar una decisión debes _____ver las consecuencias.

7 Ponga las siguientes palabras en la frase adecuada

*epicentro, antepasados, circundar, desfavorable, circunvalación,
decrecer, diámetro, embotellado, expropiar, póstuma*

1. Sólo bebemos vino _____.
2. Las condiciones atmosféricas eran _____ para volar.
3. El _____ del terremoto se localizó en México capital.
4. Quieren _____ estos terrenos para hacer una autopista.
5. El índice de natalidad _____ en los últimos años.
6. Ésta es una obra _____ de García Lorca.
7. ¿Qué _____ tiene la rueda de su bicicleta?
8. La carretera de _____ está cortada por causa de un accidente.
9. Sus _____ fueron emigrantes.
10. El río Tajo _____ Toledo.

8 Consulte el significado de las siguientes palabras y forme frases

analfabeto	anticlerical	endocrinología	postventa
anarquía	antidivorcista	entreplanta	preconciliar
anfibio	archifamoso	eufemismo	supranacional
anovulatorio	devaluar	ex director	ultrademagogo
asimétrico	diálogo	extraoficial	
anteponer	encestar	hipotensión	

Esquema Gramatical 4

Verbos de cambio o devenir

convertirse en	+	**sustantivo**	*Se convirtió en un personaje muy famoso.*
hacerse	+	**sustantivo**	*Se hizo abogado.*
	+	**adjetivo**	*Se hace tarde.*
llegar a ser	+	**sustantivo**	*Llegó a ser director general.*
	+	**adjetivo**	*Llega a ser imprescindible.*
quedarse	+	**adjetivo**	*Se quedó ciego.*
ponerse	+	**adjetivo**	*Se puso furioso.*
volverse + un	+	**sustantivo**	*Se volvió un sinvergüenza.*
volverse	+	**adjetivo**	*Se volvió loco.*

VERBO REFLEXIVO CON BASE ADJETIVAL O NOMINAL

largo	⟶	**alargarse**	*La reunión se alargó hasta las 12.*
mareo	⟶	**marearse**	*La niña se ha mareado en el autobús.*

9 Use alguno de los verbos de cambio

1. Nuestro hijo _____ ingeniero y ahora trabaja en una empresa de telecomunicaciones.

2. Nosotros _____ muy contentos al oír la buena noticia.

3. En invierno _____ de noche enseguida.

4. Al enfermo le dieron un sedante y _____ dormido al momento.

5. En el examen _____ muy nervioso y no pude contestar a todas las preguntas.

6. Esta chica baila muy bien. Seguramente _____ una buena bailarina.

7. Él sólo piensa en sí mismo, _____ muy egoísta.

8. Después de salir de la cárcel, él _____ una persona honrada.

9. Si sigues comiendo tanto, _____ gordísima.

10. Desde que Carlos _____ rico con las quinielas, _____ un vividor.

El adverbio

Rápidamente llegaron los policías.
(= de una manera rápida).

La comida ha estado *bien*.
(= de una manera buena).

Hoy trabajamos poco.
(= en el día actual).

Mañana saldremos de viaje.
(= en el día venidero).

Aquí nos sentaremos.
(= en este lugar).

Allí beberemos un refresco.
(= en aquel lugar).

Nunca he comido tanto.
(= en ningún momento).

Estamos *cerca de* la fuente.
(= en un lugar próximo).

Ve *despacio,* el suelo está helado.
(= de una manera lenta).

Los niños han comido *mucho*.
(= mucha cantidad).

Noche de fiesta

10 Utilice el adverbio más apropiado

1. Conduce _____, la carretera está muy resbaladiza.
2. He comido _____ y ahora me duele el estómago.
3. Por favor, hable más _____, pues no le oigo.
4. Él ha hecho muy _____ el examen y por eso le han suspendido.
5. Ella toca la guitarra muy _____. Es una gran guitarrista.
6. Usted trabaja _____. Debe tomarse unos días de descanso.
7. El enfermo fue trasladado _____ al hospital.
8. _____ nos hemos divertido tanto como hoy.
9. Él nos saludó muy _____ y nos invitó a un café.
10. ¿Qué significa _____ esta palabra?

Ortografía

Uso de la *g*

Se escriben con *g*:

1. Las palabras que empiezan por **geo-:**
   geometría, geodesia, geológico, geopolítico, geógrafo, geología.
2. Los verbos acabados en **-ger, -gir, -igerar:**
   proteger, fingir, coger, aligerar, mugir, regir, escoger, morigerar.
3. Las palabras acabadas en **-gen, -gélico, -genario, -gesimal, -giénico, -ginal, -gía, -ígena:**
   origen, margen, angélico, fotogénico, primogénito, higiénico, neologismo, regio, teología, lógico, indígena.

11 Ponga la grafía correcta

1. El león prote_ió a los cachorros.
2. Las vacas mu_ieron en el establo.
3. La _eopolítica se ha desarrollado espectacularmente.
4. Es un niño con in_enio.
5. Estudió en la Facultad de Ciencias _eológicas.
6. Es un escrito con abundancia de neolo_ismos.
7. La joven era foto_énica.
8. La política a veces es demagó_ica.
9. Estuvimos en un local poco hi_iénico.
10. Estudiamos en el mismo cole_io.

Ejercicio de acentuación

Don Orlando conto todo lo que sabia de su antiguo socio. Dio multitud de pequeños detalles; repitio muchas veces que nunca habian estado asociados, que algun pequeño negocio juntos si que lo habian hecho, pero en total poca cosa. Luego —preciso— desaparecio sin dejar rastro. Yo le hacia —dijo— por America, porque algo de eso le oi una vez. Los policias se despidieron de don Orlando. Este paso a su despacho. La cabeza le daba vueltas. Destapo la maquina de escribir y redacto una carta que no firmo.

IGNACIO ALDECOA (1925-1969), *Cuentos completos*

¿Hablamos? / Hablemos

¿A qué llamamos fiestas patronales? En España y en los países de América hispana, los pueblos y las ciudades celebran fiestas en honor del patrón o de la Virgen.

También existen las fiestas civiles y políticas. ¿Conoces alguna de estas fiestas en tu país? Habla de las fiestas que más te gustan.

Recordamos pautas conversacionales

Para cambiar de tema, para interrumpir, para resumir los que se dice, para pedir que repita lo dicho, empleamos:

– Ahora que me acuerdo; Hablando de otra cosa…; ¿No sabes hablar de otra cosa?

– Basta ya de eso; Ya basta, ¿no?; Haz el favor de callarte.

– Así que…; Lo dicho; Total que…; Con que…

– ¡Otra vez, por favor!; ¡Qué ha dicho!; ¿Que, qué…?; Dicho de otro modo; Es igual que si…; Vamos, que…; Total…

Lección 10
Visita a una redacción

Carlos: Estoy contento porque mañana vamos a visitar la redacción del diario *EL PAÍS*. Hemos quedado en ir a partir de las ocho de la tarde.

Jaime: Siento mucho no poder ir, pero mañana tengo clases a esa hora y, aunque quisiera, no puedo acompañaros.

Pilar: ¿No puedes organizarte de otra manera?

Jaime: Me es imposible porque los compañeros no pueden a otra hora. Además la semana pasada no tuvimos clase.

Carlos: Tú te lo pierdes. De todas formas, ya te comentaremos nuestras impresiones; aunque, a lo mejor, no nos hacen mucho caso.

Jaime: Uno no puede estar en varios sitios a la vez… aunque me gustaría ir con vosotros, pero el deber es el deber.

14

DÍAS DESPUÉS

Jaime: ¿Qué tal la visita a la redacción de *EL PAÍS?*

Pilar: Muy interesante, si bien anduvimos un poco desorientados al principio.

Carlos: ¡Fantástico! Nos enseñaron cómo los teletipos sirven las noticias y cómo las confeccionan a partir de las que les sirven las agencias.

Jaime: Aunque sea mucho preguntar, ¿os enseñaron la confección del periódico?

Pilar: ¡Por supuesto!

Carlos: Aunque no nos enteramos de mucho, resultó muy instructivo.

Jaime: Me imagino que trabajarán con las nuevas técnicas de impresión, ¿no?

Pilar: De verdad, fueron tantos los aspectos que observé que no sabría responderte. Me llamó la atención la edición digital.

Jaime: ¿Estaba el consejo de redacción?

Carlos: No sé; sí estaba, en cambio, el director, que fue muy amable con nosotros. Nos explicó la importancia del editorial en la línea política del periódico.

Jaime: ¡Qué pena no haber podido ir!

Pilar: ¡Otra vez será!

Jaime y Carlos: ¡Ojalá!

Preguntas

1. ¿Adónde van Carlos y Pilar?
2. ¿A qué hora han quedado?
3. ¿Puede ir Jaime? ¿Por qué?
4. ¿Les gustó la visita a la redacción?
5. ¿Qué vieron allí?
6. ¿Les enseñaron cómo se confecciona el periódico?
7. ¿Qué le llamó más la atención a Pilar?
8. ¿Estuvo con ellos el director?
9. ¿Qué importancia tienen los editoriales?
10. ¿Qué opina usted sobre los medios de comunicación social?

Esquema gramatical 1

- Mediante la conjunción: **aunque,**
  y también: **a pesar de que, aun cuando, así, si bien, por más que, por mucho que, por muy bien que, puesto que.**

  Aunque estudia mucho, no aprueba el curso.
  A pesar de que trabaja, no obtiene rendimientos.
  Aun cuando tengo fiebre, estoy mejor.
  Por mucho que corras, no llegarás.

  y todo, después de un gerundio, un participio, o un adjetivo, tiene valor concesivo:
  Loco y todo nunca dejó de trabajar.

1 Siga el modelo

Aunque *(discutir)*, siempre estamos juntos.   *—Aunque discutimos, siempre estamos juntos.*

1. A pesar de que *(viajar)* bastante, no conoce París.   —_____

2. Aun cuando *(llorar)*, no le ocurre nada.   —_____

3. Por más que *(bailar)*, no se cansarán.   —_____

4. Por muy bien que *(hacerlo)*, no obtendrás el premio.   —_____

5. Puesto que así *(quererlo)*, vendrás conmigo.   —_____

6. No se tomará el jarabe así *(matarlo)*.   —_____

7. Aunque *(ir)* a protestar, no te harán caso.   —_____

8. Si bien María *(protestar)*, siempre hace lo que quiere.   —_____

9. Estoy mucho mejor, aun cuando *(tener fiebre)*.   —_____

10. Puesto que tú *(llegar)* en avión, iremos a esperarte.   —_____

Expresión de la concesión

A pesar de que llovía torrencialmente, siguieron jugando al fútbol.

Aun cuando tengo mucho que hacer, iré con vosotros al cine.

Por más que corramos, no podremos alcanzarlos.

Si bien la situación es muy difícil, no debes perder los nervios.

Aunque no me enteré de muchas cosas, la conferencia me pareció interesante.

Por muy bien que conduzcas, debes tomar las curvas más despacio.

Aunque come mucho, no engorda.

A pesar de que está enfermo, sigue trabajando.

Por más que se lo digo, él no me hace caso.

Por mucho que estudiéis, no aprobaréis el examen.

Esquema Gramatical 2

Cuando la concesión recae sobre un hecho real:

- **Tiempo pasado:** cuando la acción se cumplió.

- **Tiempo presente o futuro:** cumplimiento cierto.

> *Aunque estuve allí, no lo vi.*
>
> *Aunque estudia mucho, no obtiene buenas notas.*
>
> *Aunque he limpiado el coche, sigue sucio.*
>
> *Aunque mañana tengo mucho trabajo, intentaré verte.*

Esquema Gramatical 3

Cuando la concesión recae sobre un hecho supuesto, dudoso o de cumplimiento incierto:

- **Tiempo pasado:** cuando la acción no se cumplió.

- **Tiempo presente o futuro:** cumplimiento incierto.

> *Aunque hubiera estado allí, no lo hubiese visto.*
>
> *Aunque vayas a protestar, no te harán caso.*

2 | Empleo del subjuntivo

1. Por mucho que *(llorar)* _____, no os dejaremos salir.

2. Aunque *(ganar)* _____, no podrás devolverle el dinero.

3. Por más que *(comer)* _____, no engordarás.

4. Aunque *(querer)* _____, no podría casarme contigo.

5. Aun cuando *(volver)* _____, no lograría asustarme.

6. Aunque *(ir)* _____, no me recibiría en su apartamento.

7. Por mucho que *(gritar)* _____, nadie le oiría.

8. Aunque *(trabajar)* _____ de noche, mañana no terminarán el proyecto.

9. Aunque Mercedes *(venir)* _____, no habría llegado antes de las cinco.

10. Aunque *(saber)* _____ nadar, se habría ahogado.

3 Empleo del indicativo

1. Aunque *(escribir)* _____ bien, no consigue premios.

2. Aunque *(hacer)* _____ ejercicio, no consigue adelgazar.

3. Juan sube a pie a pesar de que no *(respirar)* _____ bien.

4. Si bien *(ganar)* _____ dinero, no supo gastarlo.

5. A pesar de que *(fumar)* _____ demasiado, canta muy bien.

6. Aunque me *(gustar)* _____ los toros, no voy a la plaza.

7. Aunque no *(quererlo)* _____, vendrás conmigo.

8. Aunque *(escuchar)* _____ las noticias, no he comprendido nada.

9. Aunque *(cortar)* _____ mucha leña, no tenemos aún suficiente.

10. A pesar de que *(trabajar)* _____ y *(estudiar)* _____, aún le sobra tiempo.

4 Exprese la concesión según el modelo

Mi abuelo ya tiene 80 años, pero aún se conserva muy bien.
–Aunque/a pesar de que/si bien/aun cuando mi abuelo ya tiene 80 años, aún se conserva muy bien.

1. Él es de muy buena familia, pero es un mal educado.
   –_____

2. Me molesta mucho el humo, sin embargo te dejaré fumar.
   –_____

3. Dame tiempo para decidirme, por lo menos un par de semanas.
   –_____

4. Este perro ladra mucho, pero es muy dócil.
   –_____

5. Puede ser que no me creas, pero yo no he tenido la culpa de todo esto.
   –_____

6. Si fuera rico, seguiría trabajando como ahora.
   –_____

7. ¡Haz gimnasia!, ¡al menos unos diez minutos al día!
   –_____

8. Ya me encuentro mucho mejor, sin embargo aún me duele la cabeza.
   –_____

9. A pesar de las dificultades, pudimos alcanzar la meta.
   –_____

10. Hemos estado ahorrando todo el año, pero aún no tenemos dinero suficiente para comprarnos un coche.
    –_____

Esquema Gramatical 4

Mediante las conjunciones: **para que, a que,**

y también: **a fin de que, con el objeto de que, con el fin de que, con vistas a que, de manera que.**

Canto para que me escuchen.

Sube a que te den la merienda.

Ponte crema a fin de que no te queme el sol.

Se porta bien con vistas a que lo pongan de titular.

Le plantearé la situación de manera que él no pueda decir que no.

Van en infinitivo, precedido de **a, para, a fin de,** si llevan el mismo sujeto que la principal:

Subo a merendar.

Estudia para aprender.

5 Ponga el verbo en la forma conveniente

1. Revelaré la película para que vosotros *(verla)* _____.

2. Apaga la luz con el fin de que no *(molestar)* _____.

3. El ladrón escapó para que la policía no lo *(alcanzar)* _____.

4. Te lo digo para que lo *(saber)* _____.

5. Vinieron a casa a fin de que nosotros *(ayudarlos)* _____.

6. Los técnicos trabajarán con el objeto de que el oleoducto *(estar listo)* _____ pronto.

7. El Estado construirá colegios para que todos los niños *(escolarizarse)* _____.

8. Carlos lo preparó todo a fin de que la fiesta *(ser)* _____ un éxito.

9. Construyeron un nuevo estadio para que los aficionados *(poder)* _____ ver mejor los encuentros.

10. Estoy preparado para que tú *(empezar)* _____ a contarme el asunto.

Palabras compuestas

El sacapuntas es de color gris.

Préstame el sacacorchos.

Pedro baila el pasodoble.

Se ha olvidado el abrelatas.

María olvidó el salvoconducto.

He olvidado poner el guardabarros.

Se ha roto el parabrisas.

Acércame el quitamanchas.

Pasa la bocacalle.

El guardagujas olvidó poner la barrera.

Visita a una redacción

Palabras compuestas

Estuvimos visitando la casa cuna.

Estamos visitando las casas cuna.

El hombre rana lo sacó del fondo.

Los hombres rana lo sacaron del fondo.

Puedes dormir en el mueble cama.

Podéis dormir en los muebles cama.

Viajaré en coche cama.

Viajaremos en coches cama.

Iremos a un café teatro.

Nos divertiremos en los cafés teatro.

Esquema Gramatical **5**

Formación de las palabras: la composición

1. Por fusión: sustantivo + sustantivo: *coliflor, bocacalle, compraventa.*

nombre + adjetivo: *pelirrojo, boquiabierto.*

adjetivo + nombre: *salvoconducto, mediodía.*

verbo + nombre: *abrelatas, parabrisas.*

2. Por unión: sustantivo + sustantivo: *coche cama, hombre rana.*

Estos sustantivos se escriben separados y la variación de número suele afectar sólo al primero: *mueble cama - muebles cama.*

6 Utilice la palabra compuesta

1. Hoy en día están de moda los _____ *(café, teatro).*

2. Por favor, resérveme dos billetes en _____ *(coche, cama)* para el tren Madrid-Málaga.

3. ¿Quién es aquel _____ *(pelo, rojo)* que está hablando con tu hermano?

4. Usted tiene que torcer en la primera _____ *(boca, calle)* a la derecha.

5. ¿Dónde has puesto el _____ *(sacar, corchos)*?

6. Los domingos hago crucigramas como _____ *(pasar, tiempo).*

7. El accidente ocurrió por un fallo en el _____ *(parar, caídas).*

8. Necesitamos un _____ *(salvo, conducto)* para atravesar la frontera.

9. Él resolvió el problema en un _____ *(santo, amén).*

10. La cocina va provista de lavadora y de _____ *(fregar, platos).*

Esquema Gramatical **6**

Sufijación: adjetivos

Relativo a: –al, -ar: ministro .... *ministerial*

–an(o): América .... *americano*

–ari(o): legión .... *legionario*

–ativ(o), –itiv(o): competición .... *competitivo*

–atori(o), –etori(o), –itori(o): compensación .... *compensatorio*

–ense: Londres .... *londinense*

–eñ(o): Madrid .... *madrileño*

–er(o): carne.................................... *carnicero*

–es: Milán .... *milanés*

–í: Marruecos .... *marroquí*

Que posee una cosa o tiene semejanza con ella:

–ad(o): azul .... *azulado*

–ient(o): hambre .... *hambriento*

–iz(o): enfermo .... *enfermizo*

–ón: cincuenta .... *cincuentón*

–ud(o): barriga .... *barrigudo*

Que hace la acción:

    –adiz(o), –ediz(o): resbalar . . . . *resbaladizo*
    –ador, –edor, –idor: madrugar . . . . *madrugador*
    –ante, –ente, –iente: estudiar . . . . *estudiante*
    –ón: llorar . . . . *llorón*

Que puede sufrir la acción:

    –able: desear . . . . *deseable*
    –ader(o), –eder(o), –ider(o): llevar, beber, venir . . . . . . *llevadero, bebedero, venidero*

7 | Utilice el sufijo más apropiado

1. Él se levanta muy temprano. Es muy _____ *(madrugar)*.

2. La carretera estaba muy _____ *(resbalar)* porque había llovido.

3. Es muy _____ *(desear)* que el asunto se resuelva enseguida.

4. No sé qué edad tendrá Luis, pero creo que ya es un _____ *(cincuenta)*.

5. Este descubrimiento será muy importante para las generaciones _____ *(venir)*.

6. No hemos desayunado nada y estamos _____ *(hambre)*.

7. La artesanía _____ *(Marruecos)* es de gran calidad.

8. La excursión a los Picos de Europa es muy _____ *(apetecer)*.

9. Julia es una niña muy _____ *(enferma)*.

10. Él es una persona muy _____ *(competencia)* en esta materia.

8 | Ponga el sufijo que corresponda y construya frases

familia   – _____

Roma   – _____

Inglaterra   – _____

Perú   – _____

Israel   – _____

Málaga   – _____

rojo   – _____

naranja   – _____

luchar   – _____

falda   – _____

cuarenta   – _____

mover   – _____

pertenecer   – _____

imponer   – _____

pasar   – _____

depender   – _____

boxear   – _____

amar   – _____

9 Forme el adjetivo correspondiente

1. Él tiene mucho vello. Es muy _____.
2. Esto es una gran satisfacción para mí. Me siento muy _____.
3. Ella tiene mucha ambición. Es muy _____.
4. Pedro tiene mucha fuerza. Es muy _____.
5. Esta inyección no causa dolor. No es nada _____.
6. A él le gustan mucho las mujeres. Es muy _____.
7. Nuestros productos compiten muy bien en el mercado internacional. Son muy _____.
8. Este niño llora mucho. Es muy _____.
9. Esta historia está llena de pasión. Es una historia muy _____.
10. Sus planteamientos no carecen de razón. Son muy _____.

10 Diga cómo se llaman los que se dedican a las siguientes actividades

1. El que se dedica a la pesca.
2. La que vende pescado.
3. El que construye casas.
4. La que trabaja en una centralita telefónica.
5. El que vende carne.
6. La que trabaja en la recepción de un hotel.
7. El que conduce un taxi.
8. El que repara los zapatos.
9. La que pronuncia una conferencia.
10. El que diseña joyas.

Ortografía

Uso de la *j*

Se escriben con *j*:

1. Las palabras acabadas en **-aje, -eje, -jería, -jero, -jera, -jear;**
   cerrajería, brujería, cajero, granjero, pasajero, vinajera, traje, viaje, hereje, personaje, garaje, callejear, hojear, cojear, lisonjear

2. Todos los vocablos derivados de voces que se escriben con **j:**

rojo	*rojear, rojizo*
caja	*cajista, cajita*
cojo	*cojear, cojito*
hereje	*herejía*

3. Las personas del verbo en que por irregularidad entran los sonidos **je, ji,** sin que en los infinitivos haya **g** ni **j:**

decir	*dije*
conducir	*conduje*
traer	*traje*
aducir	*aduje*

11 Ponga la grafía correcta

1. El gran_ero se quedó sin ganado.

2. El here_e predicaba la bru_ería.

3. Aló_ate en el hotel Princesa.

4. ¿Di_o él la verdad?

5. Lo que dices es una here_ía.

6. Ha flo_eado en los estudios últimamente.

7. Puso el colgante en una ca_ita.

8. El autobús iba lleno de via_eros.

9. Llevaba a su hi_ito en brazos.

10. De_a el coche en el gara_e.

Ejercicio de entonación 15

Cuando llegué, le encontré tumbado, acariciando la cabeza del perro.

–¿Crees que has hecho una gran cosa con venir?

–No… pero tú querías que viniera.

Román se incorporó mirándome con una expresión de curiosidad en sus ojos brillantes.

–Quisiera saber hasta qué punto puedo contar contigo; hasta qué punto puedes llegar a quererme… ¿Tú me quieres, Andrea?

–Sí, es natural… –dije cohibida–, no sé hasta qué punto las sobrinas corrientes quieren a sus tíos…

Román se echó a reír.

–¿Las sobrinas corrientes? ¿Es que tú te consideras sobrina extraordinaria…? ¡Vamos, Andrea! ¡Mírame!… ¡Tonta! A las sobrinas de todas clases les suelen tener sin cuidado los tíos…

–Sí, a veces pienso que es mejor la amistad que la familia. Puede uno, en ocasiones, unirse más a un extraño a su sangre…

CARMEN LAFORET (1921-2004), *Nada*

PeriodistaDigital
Más cerca de ti

Seleccione su ciudad...

| PERIODISMO | POLÍTICA | SOCIEDAD | RELIGIÓN | OCIO Y CULTURA | ECONOMÍA |

Gente | Crónica Negra | Necrológicas | Educación | Personalidad | Emigra

317 radares te vigilan

Archivado en Sociedad

(Agencias / PD).- La Dirección General de Tráfico (DGT) pone en marcha este viernes a las 15.00 un dispositivo especial para regular los más de 15 millones de desplazamientos por carretera previstos para la Semana Santa. La operación se prolongará hasta el 9 de abril, con el objetivo de "garantizar la seguridad y fluidez del tráfico" y "evitar que se maten unos y otros que maten", según ha indicado el director de Tráfico.

Pere Navarro ha apuntado que este año la Semana Santa cuenta con la novedad del carné por puntos y 317 radares de control de velocidad. El año pasado murieron en las carreteras españolas durante este periodo vacacional 110 personas.

Según los datos facilitados por la DGT, la operación se desarrolla en dos fases, una primera de salida que comienza hoy y finaliza el próximo domingo, día 1, mientras que la segunda fase se inicia a mediodía del miércoles y concluye a las 0.00 horas del lunes 9 de abril.

¿Hablamos? / Hablemos

¿Los medios de comunicación constituyen el cuarto poder? ¿Pueden cambiar la forma de pensar de la sociedad? ¿Son imprescindibles en el mundo actual? ¿Qué secciones de un periódico te gustan más?

Recordamos pautas conversacionales

Para decir a alguien que está / no está obligado a hacer algo; para decir a alguien que puede hacer / que no puede hacer algo, empleamos:

– Te recuerdo que te has comprometido a…; Tengo la obligación de…; ¡Qué remedio!; No tienes más remedio que…

– Me parece que no deberías…; No es preciso que…; No tienes por qué hacerlo…

– ¡Claro que sí!; Tienes suficiente…; ¿Tú?, ¡claro que puedes hacerlo!; Eso está a tu alcance.

– No creo que puedas…; No estás en condiciones de…; No está en tu mano; Pero…, ¿no ves que no puedes?

Visita a una redacción

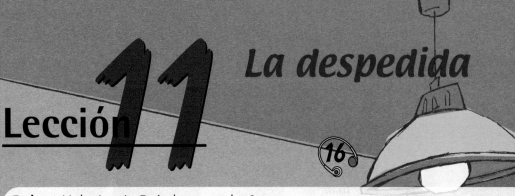

Lección 11

La despedida

Pedro: ¡Hola, Juan! ¿Cuándo te marchas?

Juan: Mañana, a las seis de la mañana, sale el tren. En este momento me iba a la estación a comprar el billete; no me gusta dejarlo para el final.

Pedro: No creo que encuentres dificultades con el billete. No estamos en temporada alta y, por otra parte, para los trayectos de largo recorrido no suele haber problemas. ¿Cuándo regresarás?

Juan: No lo tengo decidido –aún no me he ido y ya quieres que sepa cuándo vuelvo–. No lo sé, depende de cómo me encuentre. Espero poder estar allí un año. Es lo mínimo para perfeccionar un poco la lengua.

Pedro: Tú ya sabes bastante francés, por lo que no creo que encuentres dificultades para ambientarte pronto.

Juan: En ese sentido no creo que tenga dificultades. Pero siempre, al estar fuera de tu ambiente familiar y cultural, surgen pequeños problemas que, en otro caso, no tendrías.

Pedro: En todo caso, conoces a mucha gente en París y esto siempre ayuda. Por otra parte, no te marchas al fin del mundo. ¿Te has despedido ya de los amigos?

Juan: He llamado a casi todos para decirles adiós. Sin embargo, no he logrado hablar con María ni con Carlos. Si no puedo hablar con ellos, me despides y les das un fuerte abrazo.

PARIS

6:00

Pedro: ¡Por supuesto! ¿Te ayudo en algo?

Juan: No es necesario. Me llevo lo imprescindible: ropa y unos cuantos libros. Espero no necesitar nada más.

Pedro: Pues hasta la vuelta y que te lo pases muy bien.

Juan: Gracias. Ya os escribiré un correo contando mis primeras impresiones. De todas formas, un año se pasa enseguida.

Pedro: Adiós, ¡que tengas buen viaje!

Juan: Adiós.

Preguntas

1. ¿A qué hora sale el tren?
2. ¿Adónde va Juan?
3. ¿Tiene ya el billete?
4. ¿Cuánto tiempo va a estar fuera?
5. ¿A qué va?
6. ¿Tiene un buen nivel de lengua?
7. ¿Lleva mucho equipaje?
8. ¿Se ha despedido de todos los amigos?
9. ¿Tendrá Juan problemas?
10. ¿Ha vivido usted en algún país extranjero? Háblenos de sus experiencias.

La despedida

Esquema gramatical 1

Pueden establecerse relaciones de igualdad, de superioridad y de inferioridad.

- **Igualdad**

  tal ... cual (como)   tan ... como
  tanto ... como   igual que
  cuanto ... tanto   como si

  Gasta tanto dinero como gana.
  Cantan como si fueran profesionales.

- **Superioridad**

  más ... que

  Juan es más alto que Pedro.

más grande	⟷	mayor
más pequeño	⟷	menor
más bueno	⟷	mejor
más malo	⟷	peor

  Tu coche es (más bueno) mejor que el mío.

- **Inferioridad**

  menos ... que

  Tu reloj es menos caro que el mío.

NOTA: Cuando el verbo de la principal y el de la subordinada es el mismo, se omite el de la subordinada.

Pedro ha estudiado más que Juan (ha estudiado).

1 Exprese la comparación

1. Tú hablas español _____ yo.

2. Ella se comportó _____ una niña pequeña.

3. Él hace _____ no nos conociera.

4. España importa _____ exporta.

5. La película es _____ buena _____ nos la imaginábamos.

6. _____ le atacaban, _____ se defendía.

7. Ellos gastan _____ lo que ganan.

8. La conferencia no fue _____ interesante _____ yo esperaba.

9. _____ mayores nos hacemos, _____ cómodos nos volvemos.

10. Ella hizo todo _____ se lo habíamos dicho.

2 Forme la comparación

El discurso fue tal/ se esperaba	–*El discurso fue tal como se esperaba.*

1. Compró tantos tomates/ *pudo.* –_____

2. Está la tarde fría/ *ser invierno.* –_____

3. Mi casa/ *la tuya (mejor).* –_____

4. Antonio resiste en el agua/ *su hermano (menos).* –_____

5. Los chinos son numerosos/ *argelinos (más).* –_____

6. El Sol es mucho/ *la Tierra (más grande).* –_____

7. El lobo/ *el perro (más malo).* –_____

8. Los niños juegan/ *los mayores (más).* –_____

9. Es vanidoso/ *un pavo real (tan como).* –_____

10. No se saludan/ *no se conocieran (como si).* –_____

Palabras con distinto significado

El *cólera* (enfermedad) le produjo la muerte.

La *cólera* (ira) le hizo tirar el plato al suelo.

El *orden* (lista) se siguió en todos sus puntos.

La *orden* (consigna) fue cumplida.

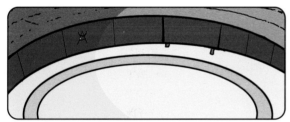

El *ruedo* estaba limpio.

La *rueda* estaba desinflada.

El *cuadro* estaba roto.

La *cuadra* estaba llena de animales.

Le entregó el *ramo* de flores.

La *rama* se desgajó del árbol.

La despedida

Palabras con distinto significado

El *naranjo* es un árbol.

La *naranja* es un fruto.

El *pendiente* es original.

La *pendiente* es profunda.

Juan tiene un gran *capital*.

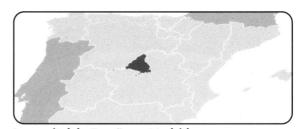

La *capital* de España es Madrid.

El *cuchillo* no está afilado.

Me afeito con *cuchilla*.

El *bolso* de María es de cuero.

La *bolsa* de Juan es grande.

3 Ponga el artículo correcto

1. Ella tiene muchas arrugas en _____ frente.
2. Muchos soldados murieron en _____ frente.
3. Este asunto no está en _____ orden del día.
4. Madrid es _____ capital de España.
5. Algunos trabajadores no cumplieron _____ orden del director.
6. Esta empresa tiene _____ capital de más de 500 millones.
7. Preguntamos a _____ policía de tráfico la dirección del hotel.
8. _____ cólera hizo que matara a su esposa.
9. _____ policía española ha obtenido un gran éxito en su lucha contra el tráfico de drogas.
10. _____ cólera es una enfermedad epidémica.

4 Halle la diferencia de significado y construya frases

tallo/talla   – _____
velo/vela   – _____
suelo/suela   – _____
libro/libra   – _____
brazo/braza   – _____
granado/granada   – _____
ciruelo/ciruela   – _____
castaño/castaña   – _____
manzano/manzana   – _____
almendro/almendra   – _____

Esquema gramatical 2

Expresión del tiempo

Mediante las conjunciones y locuciones conjuntivas: **a medida que, antes de, antes que, apenas, cuando, después de, en cuanto, entre tanto, hasta que, mientras, mientras que, mientras tanto, siempre que, tan pronto como.**

> *Antes de que compres el coche, consulta.*
> *Mientras que esté con nosotros, todo irá bien.*
> *Tan pronto como amanezca, continuaremos el viaje.*

- **Al + infinitivo:** *Al llegar a casa, me encontré con que me habían robado.*
- Se construyen en **indicativo si expresan tiempo presente o pasado:** *Cuando la miro, me sonríe.*
- Se construyen en **subjuntivo si expresan tiempo futuro:** *Devuélveme el libro cuando lo leas.*
- Cuando el sujeto es el mismo, puede el verbo subordinado construirse en **infinitivo:** *Daremos un paseo después de cenar.*

5 Ponga el verbo en la forma correcta

1. Cuando *(terminar)* _____, todos le felicitaron.

2. Tan pronto como ellos *(llegar)* _____, empezará el festival.

3. Antes de que él *(decirlo)* _____, lo intuí.

4. Pasarán dos horas hasta que *(arreglarse)* _____ la situación.

5. Al hablar, yo siempre *(cometer)* _____ muchas incorrecciones.

6. Siempre que *(escribir)* _____, da recuerdos para ti.

7. Hubo abundancia después de que *(subir)* _____ los precios.

8. Me voy antes de que *(venir)* _____ Antonio.

9. A medida que *(crecer)* _____, pinta mejor.

10. Antes de *(comenzar)* _____, deseo informaros.

6 Transforme las frases siguientes mediante una conjunción temporal

1. Me levanto y enseguida caliento el agua para el té. – _____

2. Concluidos los debates, se procedió a la votación. – _____

3. Si sigues comiendo tantos dulces, no adelgazarás. – _____

4. Al llegar al aeropuerto, me di cuenta de que no llevaba el pasaporte. – _____

5. Os lo diré si os calláis. – _____

6. Nada más se levantó de la cama, se duchó y se afeitó. – _____

7. Llámame si me necesitas. – _____

8. Él leía e iba tomando notas. – _____

9. Si te enteras de algo, llámame por teléfono. – _____

10. No me gusta fumar conduciendo. – _____

Esquema gramatical 3

Expresión del lugar y del modo

Lugar: Mediante el adverbio relativo **donde,** precedido o no de preposiciones.

Modo: Mediante las conjunciones **como, según, según que.**

- Se construyen en **indicativo** si expresan tiempo presente o pasado:

    Donde estoy mejor es en casa.

    Voy a renunciar según me aconsejas.

- Se construyen en **subjuntivo** si expresan tiempo futuro:

    Siéntate donde quieras.

    Hazlo como te plazca.

7 Ponga el verbo en la forma correcta

1. Subí al coche como *(poder)* _____.

2. Encendí el aparato según *(ordenar)* _____ (tú).

3. He ido a la finca por donde *(indicarme)* _____ (ellos).

4. Voy a renunciar según *(aconsejarme)* _____ (ella).

5. Contesté como tú *(decirme)* _____.

6. He conectado el ordenador según *(indicar)* _____ las instrucciones.

7. ¿Habéis estado donde *(ocurrir)* _____ el suceso?

8. Ocúltate en donde no *(verte)* _____ (ella).

9. Prepara las alubias como *(guisarlas)* _____ mi abuela.

10. Hice el examen como *(poder)* _____.

Esquema gramatical 4

Sufijación: adjetivos y nombres

Diminutivos				
-it(o), -cit(o), -ecit(o), -cecit(o):	casa	*casita*	pez	*pececito*
-ill(o), -cill(o), -ecill(o), -cecill(o):	pan	*panecillo*		
-ic(o), -cic(o), -ecic(o), -cecic(o):	corazón	*corazoncico*		
-uel(o), -zuel(o), -ezuel(o), -cezuel(o):	pez	*pecezuelo*	joven	*jovenzuelo*
-ín, -cín, -ecín, -cecín:	pequeño	*pequeñín*		
-ete:	viejo	*vejete*		
-at(o):	niño	*niñato*		
-ezno:	lobo	*lobezno*		
-ac(o), -aj(o):	pequeño	*pequeñajo*		
-ej(o):	palabra	*palabreja*		
-uc(o), -uj(o), -us(o), -uch(o), -usc(o), uzc(o):	mujer	*mujeruca*		
-orro, -orrio:	boda	*bodorrio*		
Aumentativos				
-ón:	hombre	*hombrón*		
-az(o):	animal	*animalazo*		
-ote:	amigo	*amigote*		
Adjetivos y adverbios				
-ísim(o):	grande	*grandísimo*		

Atención

lámpara	⟶	*lamparilla*	libro	⟶	*libreta*
mesa	⟶	*mesilla*	camisa	⟶	*camiseta, camisón*
silla	⟶	*sillón*	cama	⟶	*camilla*
torno	⟶	*tornillo*	caja	⟶	*cajón*

8 Forme el diminutivo o el aumentativo

1. Tus gafas están en la _____ (mesa) de noche.

2. Este _____ (silla) es muy cómodo.

3. Por favor, tráigame una _____ (cuchara) para mover el café.

4. He desayunado un _____ (pan) con mantequilla y mermelada.

5. ¡No seas tan _____ (comer)!

6. Usted tiene que entregar el impreso en la _____ (ventana) 3.

7. En el estanque hay muchos _____ (peces) de colores.

8. Los documentos están en el _____ (caja) de la izquierda.

9. ¿Has visto mi _____ (máquina) de afeitar?

10. Los enfermeros pusieron al herido en la _____ (cama).

9 Coloque diversos sufijos y forme frases

cruz   –_____   máquina   –_____

niño   –_____   mujer   –_____

reloj   –_____   cristal   –_____

grande   –_____   balón   –_____

bombón   –_____   cucaracha –_____

montaña   –_____   mosca   –_____

isla   –_____   pluma   –_____

corazón   –_____   lápiz   –_____

Esquema Gramatical 5

Interjecciones

¡Ah!	*¡Ah! Ya sé lo que quieres decir. Ahora lo comprendo todo.*
¡Ahí va!	*¡Ahí va! ¡Me han puesto una multa!*
¡Ay!	*¡Ay! ¡Cuánto me duele la cabeza!*
¡Bah!	*¡Bah! ¡Esto no tiene importancia!*
¡Eh!	*¡Eh! ¡Aquí está prohibido aparcar!*
¡Hala!	*¡Hala! ¡A trabajar!*
¡Huy!	*¡Huy! ¡Qué calor hace!*
¡Oh!	*¡Oh! ¡Qué alegría verte!*
¡Uf!	*¡Uf! ¡Menos mal que todo ha salido bien!*
¡Vaya!	*¡Vaya mala suerte!*

10 Utilice la interjección más apropiada

1. ¡_____! ¡Qué dolor de muelas tengo!

2. ¡_____! ¡Qué frío hace hoy!

3. ¡_____! ¡Que te dejas el bolso!

4. ¡_____! ¡Vamos a dar un paseo!

5. ¡_____! ¡Ahora lo comprendo todo!

6. ¡_____! ¡No le des importancia a este asunto!

7. ¡_____! ¡Qué bonito es esto!

8. ¡_____! ¡Se me ha olvidado llamarle por teléfono!

9. ¡_____! ¡Qué situación más comprometida!

10. ¡_____ con Pepe! ¡Yo creía que era honrado!

Ortografía

> **Uso de la h**
>
> Se escriben con h:
>
> 1. Las formas verbales de **hacer, habitar, hablar, hallar:** he, hubiera, habría, habito, habité, hablo, hallo, hallaré…
>
> 2. Las palabras que empiezan por los sonidos **idr, iper, ipo,** además de las raíces griegas: hidrógeno, hipótesis, hipódromo, hipérbole, hipérbaton, hectómetro, heptagonal, hexagonal, hemisferio, hemiplejía.
>
> 3. Toda palabra que empiece por el diptongo **ue:** huelga, hueso, huevo, hueco, huérfano.
>
> 4. **Hermano, hielo** y todos sus derivados: hermanastro, helado…

11 Ponga la grafía correcta

1. _e _ablado mucho esta mañana.

2. _e _abitado durante mucho tiempo en el centro de la ciudad.

3. El _idrógeno es importante para la combustión.

4. La tía murió de _emiplejía.

5. El _uérfano murió de _uelga de _ambre.

6. Las construcciones _exagonales me han gustado siempre.

7. Los clásicos usaron como medida el _exámetro.

8. Los pueblos son aficionados a la _ipérbole.

9. La policía encontró las _uellas del ladrón.

10. Los niños juegan en la _ierba.

Ejercicio de puntuación

Aunque la madre pensó que era un mal asunto se puso histérica gritó tomó un gran tazón de tila y al día siguiente tenía jaqueca la abuela y la nieta sintieron cada una a su manera que ahora sí que era ya del todo suyo la vieja sabía que una pequeña indignidad vuelve al hombre más humilde de lo que en rigor le ha podido debilitar sabía por antiguas experiencias que nada hay que más se agradezca que el pequeño halago en la desgracia.

Luis Martín-Santos (1924-1964), *Tiempo de Silencio*

La despedida

¿Hablamos? / Hablemos

¿Te gusta viajar? ¿Cómo suelen ser las despedidas? ¿Es fácil vivir lejos de la familia? Comenta con tu compañero/a cómo podría ser una despedida forzosa. A continuación, escenifica una despedida gozosa.

Recordamos pautas conversacionales

Para animar, intentar persuadir a alguien a hacer algo, para insistir a alguien en algo, para solicitar algo de alguien, empleamos:

– ¡Anda, anda!; ¡Ya falta poco!; ¡No te detengas!; ¡Aúpa!

– No lo dudes, decídete; Pruébalo y te convencerás; ¡Métetelo en la cabeza, tienes que hacerlo!

– Insisto en que…; Te lo repetiré una y mil veces; No quiero ser pesado, pero…

– ¿Podría/podrías…?; ¿No te(le) importaría / no te(le) molestaría que…?; Te(le) ruego / te(le) suplico que…

España y su situación en el mundo

Lección 12

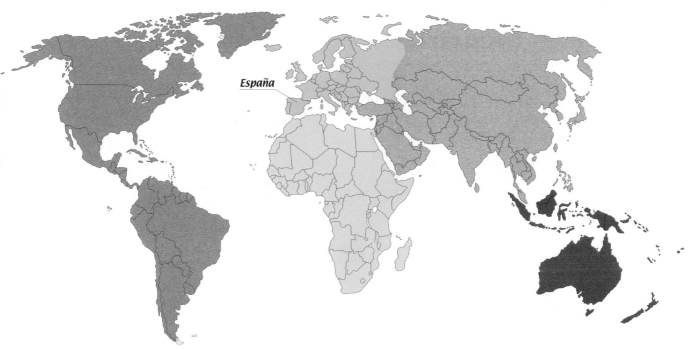

España

El reino de España –505.000 km^2 y unos 45 millones de habitantes– ocupa la parte más occidental, juntamente con Portugal, del Viejo Continente.

La Ibérica es una de las tres grandes penínsulas avanzadas de Europa, mar Mediterráneo adentro. A decir verdad, es la única que no se contenta con ser mediterránea, puesto que se proyecta también en el Atlántico; más aún, es la tierra del continente europeo que más al oeste se extiende.

Además del territorio peninsular, forman parte del Estado español las ciudades de Ceuta y Melilla en el Norte de África, las Islas Baleares en el Mediterráneo y las Islas Canarias en el Atlántico, frente a las costas del Sáhara. Dentro de la Península, al Sur se halla el enclave de Gibraltar bajo la soberanía británica.

Por su situación geográfica pertenece, según la terminología al uso, al bloque occidental.

España, desde 1986, pertenece al Mercado Común Europeo, organización eminentemente económica.

Es miembro de pleno derecho de la Unión Europea y país fundador del euro. Pertenece a la OTAN y desde hace ya largos años está presente en el foro internacional de la ONU. Pero, por encima de vaivenes políticos, y desde una perspectiva mucho más profunda y menos accidental, es la cultura el signo inequívoco de su alineamiento en el mundo occidental.

España, no cabe duda, es en la actualidad una potencia de orden secundario en el aspecto político-militar, con una industria pujante y una agricultura –su gran potencial– en expansión. Los servicios y el turismo son sus grandes exponentes de la modernidad del país.

Artículo 1º de la Constitución Española.

1. España se constituye en un Estado social y democrático de Derecho, que propugna como valores superiores de su ordenamiento jurídico la libertad, la justicia, la igualdad y el pluralismo político.

2. La soberanía nacional reside en el pueblo español, del que emanan los poderes del Estado.

3. La forma política del Estado español es la Monarquía Parlamentaria.

Regiones industriales de España

Preguntas

1. ¿Cuál es la extensión de España? ¿Cuál es la extensión de su país?

2. ¿Cuántos habitantes tiene España? ¿Y su país?

3. ¿Cuáles son los límites de España? ¿Dónde está su país?

4. ¿En qué organismos figura España?

5. ¿Es España una gran potencia?

Esquema Gramatical 1

Sujeto - verbo

- Cuando el verbo se refiere a un solo sujeto, concuerda con él en número y persona:

  Andrés come pan.

- Cuando el verbo se refiere a varios sujetos, debe ir en plural:

  Pedro y Antonio comen carne.

- Si los sujetos representan distintas personas, se prefiere para la concordancia la primera a la segunda y ésta a la tercera:

  Pedro, tú y yo iremos al cine.

  Pedro y tú iréis a la playa.

Sustantivo - adjetivo

- Cuando el adjetivo se refiere a un solo sustantivo, concierta con él en número y género:

  Usted tiene una casa muy acogedora.

- Cuando el adjetivo se refiere a varios sustantivos, va en plural. Si los sustantivos son de diferente género, predomina para la concordancia el masculino:

  Tanto tu padre como tu madre son muy simpáticos.

1 Establezca la concordancia

1. Juan, tú y Pedro, ¿adónde *(querer)* _____ ir?

2. Tú y yo *(ir)* _____ a la fiesta, ¿no?

3. La máquina y la pluma *(escribir)* _____ en negro.

4. Sus primos y primas *(ser)* _____ antipáticos.

5. Pedro y Juan *(encontrar)* _____ una pareja que les *(indicar)* _____ el camino.

6. La mayoría de los asistentes *(votar)* _____ en contra del proyecto.

7. Mi hermano y su mujer *(estar)* _____ *(contento)* _____ porque *(le)* _____ ha tocado la lotería.

8. La mayor parte de las personas *(desear)* _____ la paz.

9. El perro y la perra *(ser)* _____ *(negro)* _____.

10. La puerta y la pared estaban *(manchado)* _____.

Esquema gramatical 2

el / un **algún / ningún**	+ nombres femeninos en singular que empiecen por **a** tónica. *El arma, ningún hacha.*

Cuando entre el determinante y el sustantivo se interpone un adjetivo, se utiliza el género femenino.

la / una / alguna / ninguna.

La temible arma; alguna pesada hacha.

esta **esa** **aquella**	+ nombres femeninos en singular que empiecen por **a** tónica. *Esta agua, esa aula.*

2 Coloque la forma correcta del determinante

1. _____ alta torre se derrumba.
2. Se baña en _____ fresca agua del río.
3. No hay _____ hacha por aquí.
4. Por aquí no hay _____ aula libre.
5. El pavo real es _____ ave majestuosa.
6. _____ águila impone en las alturas.
7. _____ abejas son obreras.
8. Disparó con _____ arma vieja.
9. _____ dura asa de la cesta se ha roto.
10. Lo habrá escondido en _____ arca.

Esquema Gramatical 3

Los nombres acabados en consonante, excepto los graves y esdrújulos acabados en **-s,** forman el plural añadiendo **-es:**

> *canción-canciones; carácter-caracteres.*

Las palabras extranjeras acabadas en consonante que no sea **l, n, r, s, d, z,** forman el plural:

a. permaneciendo invariable: los soviet.

b. añadiendo **-s:** cabarets.

c. añadiendo **-es:** clubes.

d. españolizando el préstamo:

carnet	*carné*	*carnés*
meeting	*mitin*	*mítines*
revolver	*revólver*	*revólveres*

3 Forme el plural de las siguientes palabras y construya frases

Déficit	_____	Córner	_____
Superávit	_____	Test	_____
Club	_____	Lunch	_____
Lord	_____	Búnker	_____
Eslogan	_____	Round	_____
Filme	_____	Flirt	_____
Eslalon	_____	Sandwich	_____
Recordman	_____	Snob	_____

Esquema Gramatical 4

Prefijación superlativa: denota intensidad

Super:	*caro*	**Excepcionalmente:**	*barato*
Extra:	*ordinario*	**Absurdamente:**	*lesionado*
Archi:	*caro*	**Rigurosamente:**	*cierto*
Requete:	*guapa*	**Atrozmente:**	*maligno*
Terriblemente:	*dramático*	**Muy:**	*listo*

Nota: **Extra, archi, hiper, requete** se escriben unidos al adjetivo: *extraordinario, archisabido.*

Sufijación superlativa

-ísimo: *listísimo*

4 Forme el superlativo. Emplee diversos recursos

1. Los relojes son *exactos.*   –_____
2. Es un humorista *ingenioso.*   –_____
3. Tiene un problema *difícil.*   –_____
4. Ha comprado un coche *rápido.*   –_____
5. Era un hombre *cruel.*   –_____
6. Fue una persona *silenciosa.*   –_____
7. Era de una familia *pobre.*   –_____
8. Nos recibió con un abrazo *cordial.*   –_____
9. Compra sellos en un lugar *barato.*   –_____
10. Colecciona objetos *diversos.*   –_____

5 Fórmese el adjetivo correspondiente

Que no es exacto.	–Que es inexacto.
1. Que carece de armonía.	–_____
2. Que no admite duda.	–_____
3. Que no se puede recuperar.	–_____
4. Que carece de habilidad.	–_____
5. Que carece de prudencia.	–_____
6. Que no está concluido.	–_____
7. Que no es oportuno.	–_____
8. Que no es perfecto.	–_____
9. Que carece de coherencia.	–_____
10. Que no es asequible.	–_____

Expresiones con "a"

A Dios rogando y con el mazo dando.

A grandes rasgos.

A ojo de buen cubero.

A otro perro con ese hueso.

A partir un piñón.

A perro flaco, todo son pulgas.

A rajatabla.

A río revuelto, ganancia de pescadores.

Al pie de la letra.

Andar a gatas.

Andar a la pesca de algo.

Comer a dos carrillos.

Despedirse a la francesa.

Llover a cántaros.

Mandar a paseo.

Pelillos a la mar.

Reír a carcajadas.

Saber a la perfección.

Vérsele a uno el plumero.

Vivir a costa de alguien.

Vivir a cuerpo de rey.

Zapatero, a tus zapatos.

6 Utilice la expresión más apropiada

1. Él se marchó sin decirnos adiós: _____.

2. Hoy no podemos ir de excursión porque _____.

3. Ellos se llevan muy bien; ahora están _____.

4. Tenemos que cumplir la orden _____.

5. Él está tan gordo porque _____.

6. El chiste fue tan divertido que todos se _____.

7. No te metas en este asunto; _____.

8. Luis es un vago: _____ de su mujer.

9. Estaba tan harta de él que lo _____.

10. No disimules, porque se te _____.

7 · Explique el significado de las expresiones siguientes

1. Creo que es mejor olvidarlo todo y *echar pelillos a la mar.*

2. No me cuentes cuentos. *A otro perro con ese hueso.*

3. Además de estar en paro, ha caído enfermo. *A perro flaco, todo son pulgas.*

4. Carlos y Juan se peleaban antes mucho, pero ahora están *a partir un piñón.*

5. Dicen que ella *anda a la pesca de* un millonario.

6. *A ojo de buen cubero* habrá unas 200 personas en la conferencia.

7. Hay que trabajar para triunfar. *A Dios rogando y con el mazo dando.*

8. Mi hermano vive *a cuerpo de rey.*

9. Nos expuso el problema *a grandes rasgos.*

10. El jefe quiere que cumplamos el horario *a rajatabla.*

Ejercicio de acentuación

Los relatos de amor, Ariadna, deberian contarlos solo las mujeres, porque en su corazon esta siempre la clave, y en el nuestro la pasion, que no entiende e imagina. ¡Lo que tu podrias escribir, leido este cuaderno, y como quedaria en claro lo que ahora no lo es!

Añadirias nada mas que un par de paginas escuetas, pero explicitas, de las que se podria inferir que la unica razon de que no me hayas amado es que no me has amado, eso tan simple que yo complico con las galaxias remotas y con el desconocible secreto de la vida. El mundo recupera el orden alterado cuando el amor del varon halla correspondencia; ante el no, el mundo se desconcierta, todo queda fuera de lugar, y una incomprension general acompaña al sentimiento decepcionado.

GONZALO TORRENTE BALLESTER (1910-1999), *La isla de los jacintos cortados*

Evolución de la población

Los 45 millones de habitantes con que cuenta España en la actualidad son la culminación de un largo proceso demográfico sembrado de obstáculos y dificultades. A grandes rasgos puede decirse que la población española osciló entre 6 y 8 millones de habitantes hasta el siglo XVII. El despegue demográfico es, pues, relativamente moderno y por ello aún más espectacular. El crecimiento demográfico español, que tiene su punto de partida en el siglo XVIII, ha culminado a lo largo del siglo XX, durante el cual, y hasta 1970, ha registrado un incremento del 82 por 100. La población relativa (75 habitantes/km^2) es ligeramente superior a la densidad media de Europa (63), pero queda muy por debajo de los países europeos industrializados e incluso es inferior a la de otros países mediterráneos.

Respecto a la distribución, se aprecia un claro desfase entre la periferia y el interior a favor de la primera, contrastada sólo por la acción polarizadora de la ciudad de Madrid, que se ha convertido, desde mediados del siglo XIX, en gran foco de atracción para los pobladores de la Meseta y aun de la periferia española.

La inmigración de los últimos años ha hecho posible el avance espectacular de la demografía española. Todas las regiones han incrementado su número de habitantes.

España en el mundo

Canales Indirectos

¿Hablamos? / Hablemos

¿Qué conoces de España? ¿Es un país grande? ¿Cómo se la reconoce en el mundo? Describe lo que significa para ti España. Háblanos de tu ciudad, de tu país.

Recordamos pautas conversacionales

Para sugerir algo a alguien, para prevenir a alguien de algo, para prometer o jurar algo, empleamos:

– ¿No te (le) gustaría / no te(le) importaría...?; Te sugiero que...; A propósito, ¿no te gustaría...?

– Ve con cuidado; Anda con ojo; Sé prudente, por si acaso, por si las moscas.

– Te aseguro que...; Te prometo que es así; Te doy mi palabra; Palabra; Ya sabes que quedé en...; Lo haré sin falta.

La lengua española: su difusión

Varias son las lenguas que se hablan en España: el castellano, el catalán, el gallego y el vascuence. Las tres primeras son de origen neolatino o romance, la cuarta, más antigua que las otras tres, no es de origen indoeuropeo y sigue constituyendo su procedencia un enigma, pese a que se defiende la hipótesis de lengua caucásica.

El castellano, por circunstancias históricas –la Reconquista y posteriormente el Descubrimiento de América–, fue ensanchando sus dominios hasta convertirse en la lengua oficial de una comunidad mucho más amplia que la castellana de origen: la comunidad hispánica. A su estado actual han contribuido, pues, tanto los españoles como los hispanoamericanos.

El español, en la actualidad, es idioma de comunicación de más de cuatrocientos millones de hablantes.

Se habla, además de en España, en México, Guatemala, Honduras, Nicaragua, El Salvador, Costa Rica, Panamá, Venezuela, Colombia, Ecuador, Perú, Bolivia, Chile, Argentina, Paraguay, Uruguay, Cuba y República Dominicana.

Se habla, asimismo, en amplias zonas de Estados Unidos (California, Arizona, Nuevo México, Texas, Nueva York, Florida); en Puerto Rico el español comparte comunicación con el inglés, y en Filipinas el español es minoritario en relación al inglés y al tagalo.

Los judíos sefarditas, comunidades de los antiguos judíos expulsados de España en tiempos de los Reyes Católicos, que viven en Rumanía, Bulgaria, Turquía, Grecia y, sobre todo, en Israel, aún conservan la lengua de sus antepasados.

Subsiste la lengua española en las ciudades del antiguo protectorado español de Marruecos (Tetuán, Larache, Tánger) y en Guinea Ecuatorial.

Desde la perspectiva española, se justifica plenamente la denominación de español o lengua española para el castellano con el fin de designar la lengua oficial de la nación. El paralelismo con francés, alemán, italiano, etcétera (pese a existir en estos países otras variedades de francés, italiano, alemán ...) dan validez al término *español o lengua española.*

La posibilidad de poder utilizar cualquiera de los dos términos para su designación no implica la exclusión de uno de ellos.

EL ESPAÑOL EN EL MUNDO	
Argentina	39.248.000
Bolivia	7.010.000
Chile	15.795.000
Colombia	44.531.434
Costa Rica	4.220.000
Cuba	11.285.000
Ecuador	10.946.000
El Salvador	6.859.000
España	45.061.274
Estados Unidos (EE UU)	44.136.929
Filipinas	3.130.380
Guatemala	8.163.000
Guinea Ecuatorial	447.000
Honduras	7.267.000
México	102.255.000
Nicaragua	5.503.000
Panamá	3.108.000
Paraguay	4.737.000
Perú	23.191.000
Puerto Rico	4.017.000
República Dominicana	8.850.000
Uruguay	3.442.000
Venezuela	26.021.000

Datos de 2006

Artículo 3º de la Constitución Española.

1. El castellano es la lengua oficial del Estado. Todos los españoles tienen el deber de conocerla y el derecho a usarla.

2. Las demás lenguas españolas serán también oficiales en las respectivas Comunidades Autónomas, de acuerdo con sus Estatutos.

3. La riqueza de las distintas modalidades lingüísticas de España es un patrimonio cultural que será objeto de especial respeto y protección.

Preguntas

1. ¿Cuántas lenguas se hablan en España? ¿Y en su país?

2. El vascuence, ¿tiene el mismo origen que las restantes?

3. ¿Cuál es la lengua oficial de España?

4. ¿Dónde se habla?

5. ¿Qué dice la Constitución?

Usos y valores de por

Esquema Gramatical 1

- **Lugar de paso:** *Entró por la terraza.*

- **Medio de realización de algo:** *Llámame por teléfono.*

- **Cambio e intercambio:** *Cambió un Velázquez por un Murillo.*

- **Motivo, causa:** *¿Por quién trabajas?*

- **Duración en el tiempo:** *Por la mañana trabajo mejor.*

- **Por + infinitivo = causa:** *El guardia me ha multado por atravesar la línea continua.*

- **Indica la persona agente en la oración pasiva:** *La lección fue explicada por el maestro.*

- **Estar + por + infinitivo:** *Estoy por ir a verlo.*

- **Por lo + adjetivo o participio = causa:** *Me gusta estar con él por lo simpático que es.*

1 Ponga la preposición "por"

1. _____ lo general estudia demasiado.

2. En la audiencia dieron _____ acabado el caso.

3. Antonio aprobó _____ recomendación.

4. La retransmisión fue anunciada _____ televisión.

5. Después de las vacaciones pasaron _____ Ávila.

6. Los niños han sido educados _____ el padre.

7. _____ la tarde suelen dar un paseo.

8. Haremos un viaje _____ Semana Santa.

9. Le detuvieron _____ error.

10. Le pregunté _____ el resultado del examen.

Esquema Gramatical 2

Usos y valores de para

- **Expresa finalidad, destino, término del movimiento:**
  > *Voy para la Universidad.*
  > *¿Vienes para Madrid?*
  > *Estamos ahorrando para comprar una nueva casa.*

- **Persona a la que va destinado algo:**
  > *Es una película para niños.*

- **Término de una fecha:**
  > *Iremos a casa para Navidad.*

- **Situaciones adecuadas o inadecuadas:**
  > *Este lugar es muy apropiado para descansar.*

- **Antes de infinitivo = Realización inmediata del hecho:**
  > *El tren estacionado en la vía 5 está para salir* (va a salir pronto).

- **Expresa actitud:**
  > *Es siempre amable para con nosotros.*

- **Como para + infinitivo es una expresión modal bastante empleada familiarmente:**
  > *Esta carne está como para comérsela.*

2 Ponga la preposición "para"

1. _____ tu tranquilidad, el autobús sale con retraso.
2. ¿No has comprado carne _____ la comida?
3. No dejes _____ mañana lo que puedas hacer hoy.
4. Prepara oposiciones _____ televisión.
5. Lleva un juguete _____ que la niña juegue.
6. Me he comprado unos patines _____ patinar.
7. Este regalo es _____ ti.
8. He hecho la compra _____ toda la semana.
9. Los atletas se han preparado _____ la competición.
10. Estudio _____ aprobar.

Esquema gramatical 3

Usos y valores de porqué, porque, por qué, por que

Porqué	Es sustantivo y va siempre precedido de artículos o de cualquier otro determinante. *No confesó el **porqué** de su decisión.* *Yo entiendo tu **porqué**, pero no todos lo comprenderán.*
Porque	Es conjunción causal. *No iré **porque** no quiero.*
Por qué	Sirve para preguntar: equivale a **por qué razón.** *¿**Por qué** estudias tanto?*
Por que	Preposición **por + que** (el cual, la cual, el que, la que…) = Relativo. *Fueron muchos los delitos **por que** fue condenado.*

3 Ponga la forma adecuada

1. ¿No te has comido la sopa _____ no te gusta?
2. Hoy explicará el presidente _____ ha dimitido.
3. Ésa es la carretera _____ circulan más coches.
4. ¿Se averiguará alguna vez el _____ de ese trágico suceso?
5. También ella tiene sus _____ para sentirse enfadada.
6. No sé _____ has de mentir tanto.
7. Ya han tapado el boquete _____ se escaparon los toros.
8. ¡Apasionarse así _____ su equipo perdió el partido!
9. _____ has comido mucho, tienes pesadez de estómago.
10. ¿ _____ tienes tanto miedo?

Esquema Gramatical 4

Si no	Condición negativa: *Si no te apetece ir al cine, nos quedamos en casa.*
	Preguntas indirectas: *Él me preguntó si no comprendía la explicación.*
	Alternativa en oraciones distributivas: *Si te llamo, mal; si no te llamo, peor.*
	En oraciones de protesta, sorpresa, ponderación o negación: *¿Por qué no me lo dijiste? –Si no lo sabía.*
Sino	El destino: *El sino hizo que los dos murieran en accidente.*
	Contraposición de un concepto afirmativo a uno negativo: *La reunión no es hoy, sino mañana.*
	Precedido de negación equivale a *solamente, tan sólo, excepto: Nadie lo sabía sino él. No te pido sino que me prestes un poco de atención.*
	Precedido del adverbio *no sólo* denota adición de otro u otros miembros a la cláusula: *No sólo por su inteligencia, sino por su simpatía merece ser premiado.*

4 Ponga "si no, sino" según convenga

1. ¿Qué vas a estudiar, _____ Filosofía y Letras?
2. ¿Qué vas a hacer, _____ vas a la discoteca?
3. No puedo estudiar _____ te estás quieto.
4. Siempre he trabajado: ése ha sido mi _____.
5. No se darán cuenta de que entramos _____ hacemos ruido.
6. No fue Pepe, _____ Juan, quien lo decidió.
7. Me voy a enfadar _____ vienes.
8. No fumes _____ quieres toser.
9. El _____ del artista es ser un personaje público.
10. ¿Quién, _____ Goya, puede haber pintado ese cuadro?

Esquema Gramatical 5

aero- «aire», *aeropuerto*	**foto-** «luz», *fotografía*	**omni-** «todo», *omnipotente*
bio- «vida», *biología*	**hecto-** «ciento», *hectómetro*	**penta-** «cinco», *pentágono*
cosmo- «universo», *cosmopolita*	**macro-** «grande», *macrocosmo*	**pluri-** «varios», *pluricelular*
crono- «tiempo», *cronómetro*	**maxi-** «grande», *máximo*	**poli-** «muchos», *polifacético*
deca- «diez», *decálogo*	**micro-** «pequeño», *microcosmo*	**psico-** «mente», *psicoanálisis*
demo- «pueblo», *democracia*	**multi-** «muchos», *multicentro*	**seudo-** «falso», *seudónimo*
fono- «sonido», *fonoteca*	**neo-** «nuevo», *neófito*	**tele-** «lejos», *telescopio*

5 Busque el significado de los siguientes términos y forme frases

Aerodinámico _____   Multicolor _____

Cosmogonía _____   Pluriempleo _____

Cronología _____   Neofascista _____

Decámetro _____   Micrófono _____

Omnipresente _____   Teléfono _____

Psicología _____   Demografía _____

Pentagrama _____   Teleobjetivo _____

Expresiones con "de"

Andar de cabeza.	*Ir de la Ceca a la Meca.*
Caer de pie.	*Ir de puerta en puerta.*
Costar un ojo de la cara.	*La casa de tócame Roque.*
Cruzarse de brazos.	*No dejar de la mano.*
Dar el do de pecho.	*Quedarse de una pieza.*
De bote en bote.	*Salirse del tiesto.*
De golpe y porrazo.	*Tener cara de pocos amigos.*
De grandes cenas están las sepulturas llenas.	*Tener muchas horas de vuelo.*
De noche todos los gatos son pardos.	*Tener una lengua de víbora.*
Ir de Herodes a Pilatos.	*Vivir del cuento.*

6 Explique el significado de las siguientes expresiones:

1. Cuando nos enteramos de la triste noticia, *nos quedamos de una pieza.*

2. Él no hace nada, *vive del cuento.*

3. María tiene una *lengua de víbora.*

4. La sala estaba *de bote en bote.*

5. El niño ha recitado el poema *de cabo a rabo.*

6. Él *ha caído de pie* en su nueva empresa.

7. Para tener éxito en la vida, tenemos que *dar el do de pecho.*

8. La verdad es que este abrigo me está muy ancho, pero *de noche todos los gatos son pardos.*

9. ¡*No dejes de la mano* este asunto tan delicado!

10. *Fue de puerta en puerta* pidiendo ayuda.

7 Utilice la expresión más adecuada

1. Este reloj es carísimo; _____.

2. No debes cenar tanto, ya sabes que _____.

3. Él está de mal humor: _____.

4. Estos días _____ porque tenemos muchísimo trabajo en la oficina.

5. Ayer bebiste demasiado y te _____.

6. Para arreglar todos los papeles he tenido que ir _____.

7. Los trabajadores se _____ y no quisieron seguir trabajando.

8. _____, cambió la situación.

9. Es muy fácil _____ y no cooperar en la solución del problema.

10. Aquí no hay orden ni disciplina; esto parece _____.

8 Utilice la preposición más apropiada

LA PUNTUALIDAD

Asombrosa elasticidad la _____ horario español. Ya conté _____ otra ocasión la historia verídica _____ cura que, al llegar _____ su nueva parroquia, encontró que se fijaba la hora _____ un funeral vespertino _____ las seis y media, _____ «empezar a las siete». Cuando preguntó por qué no se fijaba entonces claramente _____ las siete, escuchó la escandalizada respuesta _____ sacristán: «¿ _____ que vengan _____ las siete y media?». _____ estos días Madrid, como capital administrativa _____ reino, está convulsionada _____ una orden ministerial _____ nuevo equipo de gobierno. _____ parecer se han alterado varios sistemas concatenados _____ desayunos, acompañamiento _____ los niños _____ colegio, compras _____ el mercado, etc. La ciudad se llena, _____ madrugada, _____ gente _____ mal humor que acude _____ su trabajo _____ una hora inverosímil, que resulta que era su hora _____ siempre, la hora que aceptaron cuando fueron designados _____ ocupar aquel sillón, silla o taburete _____ un organismo oficial. Pero que nunca se había llevado _____ la práctica.

FERNANDO DÍAZ-PLAJA (1918-), "Gente de la calle", *El País*

Ejercicio de entonación 19

Lorenzo: Es muy buena tu mujer, tunante. Ya puedes estar contento.

Cleofás: Sí que es buena la pobre, sí. ¡Qué le vamos a hacer!

Hortensia: ¡Tonto! Ay, si te hubieras casado con Antonia, que es la que tenía caudal.

Cleofás: Mamá, si fuiste tú la que me aconsejaste que me decidiese por Consuelito.

Hortensia: Fue un engaño, ¿sabe usted?, un verdadero timo… Siento como un mareo… Ay, señor. (Abre una botella.) A estas horas me han recetado un dedito de orujo. Me recuerda mi infancia, ¡ay! ¿Quiere usted?

Lorenzo: Gracias, que siente bien.

Hortensia: Su madre era vidente. Y tan vidente, la tía fresca. Nos largó a este muerto haciéndonos creer que le tenía ahorrada una fortuna. Ya ve usted: deficiente mental y sin un duro: un bodorrio.

Cleofás: Mamá, que era tu consuegra.

Hortensia: Mi com … pota… era… Este hijo mío es un San Luis Gonzaga.

ANTONIO GALA (1936-), *Los buenos días perdidos*

Variedad lingüística en España

El Catalán: Se habla en las cuatro provincias catalanas (Barcelona, Tarragona, Lérida y Gerona), en los valles de Andorra, en parte del País Valenciano, en las islas Baleares, en el departamento francés de los Pirineos Orientales y en el Alguer (Cerdeña).

Es una lengua de gran vitalidad, en ella se escriben numerosos libros y cuenta con una gran tradición literaria. Su variedad dominante es la de Barcelona.

En la actualidad lo hablan más de seis millones de personas.

El Gallego: Se habla en las cuatro provincias gallegas (La Coruña, Lugo, Orense y Pontevedra).

Conoció un gran esplendor literario en la Edad Media. Hoy se muestra perfectamente diferenciado del portugués, pese a su semejanza.

En la actualidad, lo hablan más de dos millones de habitantes, y su estima crece de día en día.

El Vascuence: Con un evidente resurgir en el País Vasco (Guipúzcoa, Vizcaya y Álava) y en el Norte de Navarra como afirmación de personalidad cultural y étnica, cuenta con unos setecientos mil hablantes. Asimismo, lo hablan unos noventa mil habitantes en el departamento francés de los Bajos Pirineos.

Proba o judo...
...gustarache

FEDERACIÓN GALEGA DE JUDO

JUDO o motor
DA TUA VIDA
...e_educación_saúde
DEPORTE GALEGO

ASTURIANO
GALLEGO
VASCO
LEONÉS
ARAGONÉS   CATALÁN
RIOJANO
CASTELLANO
BALEAR
EXTREMEÑO
VALENCIANO
MURCIANO
ANDALUZ

• Ceuta   Melilla •

CANARIO

Desayuno	*Esmorzar*
Aperitivo	*Aperitiu*
Almuerzo	*Dinar*
Snack	*Snack*
Merienda	*Berenar*
Cena	*Sopar*

A-15
Iruña / Pamplona
↓   ↓

↑ IRUÑA
PAMPLONA

LLEIDA →

18 **Zapatua** Sábado
20 **Domeka** Domingo
21 **Astelehena** Lunes
22 **Martitzena** Martes
23 **Eguaztena** Miércoles
24 **Eguena** Jueves
25 **Barikua** Viernes
26 **Zapatua** Sábado
27 **Domeka** Domingo

¿Hablamos? / Hablemos

¿Cuál es tu lengua materna? ¿Qué lenguas hablas? ¿Qué lenguas lees? ¿Es difícil el español? ¿Por qué has elegido estudiar español?

Recordamos pautas conversacionales

Para expresar impaciencia, para llamar la atención a alguien, para regañar a alguien, para expresar irritación por algo, empleamos:

– Estoy nervioso; ¡Qué nervios!; ¡No aguanto más!; ¡Cuánto tarda!; Pero, ¡qué lento eres!

– ¿Ya está bien, no?; ¡Lo que hay que ver!; ¡Oiga, que me toca a mí!; ¡Pero usted qué se ha creído!; ¡Qué desvergüenza!

– ¿Qué te he dicho?; Haz el favor de…; ¿Es que no has oído?; ¡Que sea la última vez que…!

– ¡Qué rabia!; Me tienes frito; Me pones negro; Me sacas de quicio; No me cabrees; Me tienes hasta la coronilla.

Lección **14**

Hispanoamérica

20

Dejando aparte el hecho, muy probable, de que con anterioridad a Colón hubiesen llegado a las costas americanas otros navegantes, como los vikingos o los vascos, es innegable que fueron los españoles los que a partir de la aventura colombina pusieron el Nuevo Mundo en contacto y al alcance de los europeos. Y del descubrimiento y conquista de América hay un hecho que ha sumido en la perplejidad a cuantos lo han estudiado: el arrojo y la temeridad de los conquistadores. Debemos tener en cuenta que Cortés acabó con el imperio de Moctezuma, con un ejército de seiscientos soldados y que Pizarro, para someter a los Incas, contó sólo con ciento ochenta hombres [...] El carácter de estos hombres y, sobre todo, el predominio de los hidalgos en la dirección de las expediciones, dejaron una huella particular en todo el proceso de la conquista.

Traían consigo desde Castilla las ambiciones, los prejuicios, los hábitos y los valores que habían adquirido en su patria. En primer lugar, y ante todo, eran soldados profesionales, adiestrados para las dificultades y la guerra.

Tenían también una mentalidad tremendamente legalista y extendían siempre documentos, incluso en los lugares y situaciones más inverosímiles, para determinar con exactitud los derechos y los deberes de cada miembro de la expedición. Poseían, asimismo, una capacidad infinita de asombro ante el extraño mundo que surgía ante sus ojos e interpretaban sus misterios tanto a partir de su caudal de imaginación como a partir de su experiencia pasada [...] La dedicación requería, sin embargo, una causa y el sacrificio, una recompensa. Ambos aspectos fueron descritos con una franqueza extraordinaria por un fiel compañero de Cortés, el historiador Bernal Díaz del Castillo: *Vinimos aquí por servir a Dios y Su Majestad y también por haber riquezas.* Los conquistadores llegaron al Nuevo Mundo en busca de riquezas, honor y gloria.

J. H. ELLIOT, *La España Imperial (1469-1716)*

Preguntas

1. ¿Qué ha significado el descubrimiento de América?
2. ¿Qué sabe de la conquista de México?
3. ¿Cuál era el carácter de los conquistadores?
4. ¿Quién fue Cristóbal Colón?
5. ¿Qué sabe del imperio de los Incas?

Esquema Gramatical 1

EL VERBO *SER*

El verbo ser

Ser + **sustantivo**: Expresa realidad.
Antonio es médico.

Ser + **adjetivo**: Expresa una realidad; tiende hacia el aspecto objetivo.
Juan es delgado.

Ser + **adverbio**: Expresa temporalidad.
Es tarde.

Ser + **de**: Expresa posesión, origen.
El bolso es de ella.
Juan es de Huelva.

Ser + **participio**: Corresponde a la formulación de la voz pasiva:
El puente fue construido por los soldados.

Ser + *adjetivo*

***SER* + ADJETIVO**

Ser + **adjetivo clasificador**

Los que significan nacionalidad, partido político, religión, cantidad, clase social: **católico, español, francés, noble, socialista.**
Juan es católico.
Los candidatos son siete.

Ser + **adjetivo verbal**

Los que provienen de derivación verbal **(-dor, -ante, -oso, -able):**
conversador, inquietante, contagioso, preferible.
La noticia es inquietante.

Ser + **adjetivo cualitativo**

Los que significan una cualidad o propiedad intrínseca como nota definitoria del sujeto.
Cualidades físicas y morales: *pequeño, peludo, ruin, mezquino…*
Forma física y color: *alto, gordo, blanco…*
Virtudes y vicios: *egoísta, caritativo, virtuoso, vicioso…*

Esquema gramatical 2

Estar + **participio**: Expresa el resultado de un proceso. Corresponde a la formulación de la pasiva de estado.
El niño está cansado.
El problema ya está resuelto.

Estar + **gerundio**: Expresa una acción en su desarrollo.
Estábamos durmiendo cuando llamaron por teléfono.

Estar + **adverbio**: Expresa situación.
Los gatos están debajo de la mesa.

Estar + **de**:
    a. Idea de temporalidad: *Antonio está de vuelta.*
    b. Ocupar el puesto de: *Carmen está de médico.*
    c. Desempeñar la función de: *Juan está de director.*

Estar + **en**: Ubicación.
Estoy en la oficina.

Estar + **a**: Localización temporal.
Estamos a 11 de marzo.

Estar + **hecho**: Parecer. Adquiere sentido irónico, admirativo, exclamativo.
¡Menudo idiota estás hecho tú!
¡Estás hecho un artista!
¡Está hecha una mujercita!

Estar + **adjetivo calificativo**: Expresa una opinión personal.
Pedro estaba delgado.

Estar + **adjetivos de estado**: Expresan una condición física extrínseca o una situación psíquica transitoria: vivo, ciego, sano, feliz, aburrido…
Él está ciego por ella.

Estar + **adjetivos que expresan relaciones circunstanciales del sustantivo**: son los que indican espacio, tiempo, medida, norma, precio: barato, grande, vacío…
Estos zapatos me están grandes.

Nota: Estar + (alto, delgado, gordo, bueno, malo …) = Apreciación personal.
    Ser + (alto, delgado, gordo, bueno, malo …) = Carácter general.
    Estar + (ciego, loco …) = duración limitada.
    Ser + (ciego, loco …) = Consideración general, cualidad o propiedad intrínseca.

1 "Ser / estar"

1. Pepito _____ en casa.

2. Todo eso _____ muy bien.

3. Hoy _____ a 22 de julio.

4. El libro _____ sobre la mesa.

5. ¿Qué hora _____? _____ las siete.

6. Todavía _____ temprano.

7. ¿Qué te parece el niño? ¿_____ muy alto?

8. Esta casa _____ muy luminosa, _____ en muy buen sitio.

9. Pedrito _____ muy trabajador, pero ahora _____ enfermo.

10. Me parece que la nena _____ muy guapa.

2 "Ser / estar"

1. ¿Juan _____ soltero?

2. Ya lo creo, Juan _____ un solterón de tomo y lomo.

3. He encontrado a mi vecino muy mayor. _____ muy envejecido.

4. ¡El pobre José _____ muy loco!

5. Estos días José _____ muy loco.

6. José _____ loco por la música.

7. María _____ llena de tristeza.

8. Esta pluma _____ japonesa.

9. ¡Pobre hombre! _____ tuerto desde la guerra.

10. El perro _____ fiel hasta la muerte.

3 "Ser / estar"

1. María _____ muy simpática, pero hoy _____ antipática.

2. La cafetera _____ rota, hoy no podremos tomar café.

3. Este chocolate _____ frío, no _____ muy bueno.

4. Carlos _____ negro con tanto trabajo.

5. El agua de la bahía _____ muy fría.

6. Las noches de Santander _____ muy húmedas, pero muy hermosas.

7. Enseguida salgo, ya _____ listo.

8. Sal pronto, el director _____ para salir.

9. Ellos _____ a punto de salir, ya _____ muy tarde.

10. Toma el paraguas, _____ para llover.

Esquema Gramatical 3

Preposiciones

A:	–Movimiento/dirección: *Mañana vamos a Toledo. El jarrón se cayó al suelo.*
	–Ubicación: *Los lavabos están al fondo del pasillo. Se puso a mi izquierda.*
	–Tiempo puntual: *Él llegó al mediodía. Empezaremos a la hora prevista.*
	–Complemento directo/indirecto: *Estoy esperando a mi hermano. Les he escrito a mis padres una carta.*
	–Modo: *No actúes a lo loco. Lo sé a ciencia cierta.*
ANTE:	–Delante de: *Él habló ante una gran multitud. Ante esta grave situación no podemos hacer nada.*
CON:	–Compañía: *Estuvimos con él en el cine. Pasará las vacaciones con sus padres.*
	–Medio: *Ella escribe siempre con pluma. Funciona con gas.*
	–Modo: *Nos escuchó con paciencia. Trabaja con precipitación.*
CONTRA:	–Oposición: *El coche chocó contra un camión. Hay que luchar contra la injusticia.*
DE:	–Procedencia: *Venimos de la estación. Son emigrantes de Centroamérica.*
	–Materia: *Me he comprado un chaquetón de cuero. Llevaba unos pendientes de plata.*
	–Pertenencia/propiedad: *Este coche es del director. Vamos a casa de Carlos.*
	–Causa: *Me muero de sed. Estaba roja de vergüenza.*
	–Tiempo durativo: *De noche todos los gatos son pardos. Vacaciones de un mes.*
	–Modo: *Me sé la lección de memoria. Te lo pido de rodillas.*
DESDE:	–Origen: *Desde mi casa se ve la plaza de toros. Me mandó una postal desde París.*
	–Tiempo durativo: *Los bancos están abiertos desde las nueve de la mañana.*
EN:	–Ubicación: *La agencia de viajes está en el tercer piso. Tengo el coche en esa calle.*
	–Estado: *Varios pueblos están en alerta roja.*
	–Tiempo durativo: *En otoño llueve poco en esta región. Nunca abren en domingo.*
	–Modo: *Estoy en ayunas. Lo llevaban en volandas.*
ENTRE:	–En medio de: *Entre los papeles encontré una carta de mi antigua novia. Llegaremos a Madrid entre las nueve y las diez.*
HACIA:	–Dirección aproximada: *La caravana se dirigió hacia el Sur.*
	–Tiempo aproximado: *Llegaremos a Madrid hacia las nueve de la tarde.*
HASTA:	–Límite extremo: *Escalamos hasta la cima de la montaña. Te estuvimos esperando hasta las cuatro.*
PARA:	–Dirección: *Nos vamos esta tarde para Barcelona.*
	–Tiempo futuro: *Todo estará listo para mañana.*
	–Finalidad: *Tengo que estudiar mucho para aprobar.*
POR:	–A través de: *Viajaron por toda Europa. ¿Vamos por Irún, o por Perpiñán?*
	–Medio: *Te mando el paquete por correo urgente. Hablamos por señas.*
	–Causa: *Por motivos de salud no pudo asistir al congreso. Detenido por estafa.*
	–Precio/cantidad: *Compré dos discos por el precio de uno. Los venden por docenas.*
	–Tiempo delimitado: *¿Qué vas a hacer mañana por la mañana?*
	–Agente: *La ciudad quedó destruida por el terremoto.*

SIN:	–Carencia: *El coche está sin gasolina. Lo confesó sin avergonzarse.*
SOBRE:	–Encima de: *Tus gafas están sobre la mesa.* –Acerca de: *Hemos estado discutiendo sobre este asunto.* –Tiempo aproximado: *Iremos a recogerle sobre las siete.*
TRAS:	–Detrás de: *Los candidatos fueron entrando uno tras otro en la sala.* –Después de: *Tras la tempestad viene la calma.*

4 Utilice la preposición más adecuada

1. _____ aquí no puedo ver nada.

2. Mañana salgo _____ Santander _____ Madrid y pasaré también _____ Burgos.

3. Este año ha sido muy malo _____ la cosecha _____ cereales.

4. Podéis contar _____ nuestra ayuda _____ resolver este problema.

5. La puerta _____ garaje se abre _____ un mando _____ distancia.

6. ¿Hablas _____ serio o _____ broma?

7. _____ muchas horas de discusión, llegaron a un acuerdo.

8. Llámame _____ mediodía _____ la oficina.

9. Me quedé absorto _____ el cuadro *Las Meninas* _____ Velázquez.

10. _____ duda, ha tenido muy mala suerte _____ la vida.

5 Utilice la preposición más adecuada

1. _____ ahora no he podido hablar _____ él _____ teléfono.

2. _____ tu forma _____ pensar y la mía hay un gran abismo.

3. Hay que luchar _____ la desigualdad social.

4. La manifestación fue disuelta _____ la policía _____ un abrir y cerrar _____ ojos.

5. Le pusieron una multa _____ conducir _____ más _____ 120 km _____ hora.

6. _____ entrar el presidente _____ la sala _____ conferencias, todos se pusieron _____ pie.

7. Llevamos _____ esta mañana hablando _____ parar _____ este asunto.

8. _____ tanta gente no puedo divisar _____ tu hermano.

9. El lugar _____ donde te escribo es un refugio _____ montaña _____ unas vistas preciosas _____ el valle.

10. _____ cuanto pueda, le enviaré _____ jefe _____ personal los documentos _____ correo certificado.

6 Utilice la preposición más adecuada

LAS COCINITAS SON DE NIÑA

Un niño _____ cuatro años entra _____ una juguetería y se dirige _____ una cocina casi tan grande como él. Papá, cómpramela. La dependienta le dice: «No, eso es _____ niñas». Inmediatamente, el niño deja _____ interesarse _____ la cocina y comienza _____ manipular una moto _____ pedales. _____ los dos o tres días recoge todos los«cacharritos» y pide permiso _____ regalárselos _____ su vecina, porque son _____ niña. Y así lo hace, pero _____ la sorpresa _____ sus padres vuelve _____ la casa _____ la niña _____ un inmenso muñeco _____ quien mece cariñosamente y golpea _____ la espalda, _____ que eche el aire». _____ la España _____ consenso hay adultos _____ quienes preocupa que los niños jueguen _____ muñecos. _____ nosotros nos escandalizan las tempranas manifestaciones _____ machismo y belicismo _____ los juegos _____ los niños, o el fomento _____ actitudes «femeninas», es decir, antifeministas _____ los juguetes _____ las niñas.

JOSETXU LINAZA. *El País*

Expresiones con "ser"

Ser algo o alguien de tomo y lomo.	*Ser muy suyo.*
Ser cuestión de práctica.	*Ser pájaro de mal agüero.*
Ser de buena o mala familia.	*Ser persona de fiar.*
Ser de buena pasta.	*Ser un cabeza loca.*
Ser el pan nuestro de cada día.	*Ser un cero a la izquierda.*
Ser harina de otro costal.	*Ser un deslenguado.*
Ser hombre de honor.	*Ser un facha.*
Ser hombre de pelo en pecho.	*Ser un hueso.*
Ser más claro que el agua.	*Ser un rollo.*
Ser más el ruido que las nueces.	*Ser un veleta.*
Ser más listo que el hambre.	*Ser uña y carne.*

7 Utilice la expresión más adecuada, según el cuadro anterior

1. Tengo que estudiar mucho porque mi profesor _____.
2. Puedes confiar en Pedro, sin duda _____.
3. Este niño _____, enseguida comprende lo que se le explica.
4. No vamos a ver esta película porque nos han dicho que _____.
5. Ella _____, sólo piensa en divertirse.
6. No te desanimes en tu nuevo puesto de trabajo, todo _____.
7. Él no se asusta por nada, _____.
8. Creo que él _____ y cumplirá su palabra.
9. ¡No seas _____ y ten más respeto con las personas!
10. Esto _____ y no necesita ninguna explicación.

Expresiones con "estar"

Estar a partir un piñón.	Estar de enhorabuena/enhoramala.
Estar al cabo de la calle.	Estar de mal talante.
Estar al pie del cañón.	Estar en el candelero.
Estar alumbrado.	Estar en las nubes.
Estar como una cabra.	Estar entre la vida y la muerte.
Estar con el agua al cuello.	Estar hasta la coronilla.
Estar con el pie en el estribo.	Estar mano sobre mano.
Estar cruzado de brazos.	Estar ojo avizor.

8 Utilice la expresión más adecuada, según el cuadro anterior

1. El enfermo está muy grave: _____.
2. Él ha bebido demasiado y _____.
3. Tenemos que pagar tantas letras que _____ .
4. Ya no aguanto más esta situación; _____.
5. Hoy el jefe _____, así que ten cuidado.
6. No les perdáis de vista; _____.
7. En vez de _____, deberíais ayudar a vuestra madre.
8. Hoy _____ porque nos ha nacido nuestro primer nieto.
9. Hemos trabajado tanto, que ahora _____.
10. Él esta enterado de todo el asunto: _____.

9 Explique el significado de las siguientes expresiones

1. Dicen que los ingleses *son muy suyos.*
2. En Matemáticas *soy un cero a la izquierda.*
3. Ellos se criaron juntos, fueron a la misma escuela y de mayores siguen *siendo uña y carne.*
4. Por desgracia, los accidentes de carretera *son el pan nuestro de cada día.*
5. Creo que exageras el peligro. ¡*No seas pájaro de mal agüero!*
6. Los negocios exigen *estar siempre al pie del cañón.*
7. Él *estuvo en el candelero* mientras fue secretario del presidente.
8. No hagas caso de lo que dice. *Está como una cabra.*
9. Durante la clase, *está siempre en las nubes.*
10. Antes siempre estaban peleándose, pero ahora están *a partir un piñón.*

Ejercicio de puntuación

La frecuentación diaria del café de Madame Berger reservaba en ocasiones algunas sorpresas por punto común a la monótona exhumación de los años de guerra sucedía el inevitable diagnóstico de los males de España los contertulios comentaban los últimos acontecimientos de la Península la abortada manifestación de universitarios la carta de los falangistas descontentos la baja espectacular del precio de la aceituna o una declaración del Consejo Privado de don Juan con fórmulas breves y lapidarias tales como «El Régimen ha entrado en su última fase de descomposición y podredumbre» «Los desesperados intentos de la Dictadura muestran su creciente incapacidad frente a la acción unitaria de las masas populares» «La economía española es una nave sin timón» o «Las contradicciones interiores se agudizan» sentencias que vibraban en la atmósfera densa de humo como un conjuro mágicamente repetido.

JUAN GOYTISOLO (1931-), Señas de Identidad

Hernán Cortés

En México la política del emperador, vencedor de las comunidades de Castilla, ha de enfrentarse con Hernán Cortés, su vasallo demasiado poderoso en la Nueva España (…) Después de viajar a España y contraer nuevas nupcias, fijó su residencia en Cuernavaca, a la que hizo cabeza de su inmenso señorío… Como un repoblador medieval, el marqués se consagró a fundar monasterios y poblados y demostró en sus pacíficas tareas de colonizador la misma actividad incansable y las mismas dotes de gobierno con que había enaltecido sus empresas militares. Importó de Canarias la caña de azúcar… Se ocupó de extender el cultivo del algodón y en fomentar la cría del gusano de seda. En sus pastizales se mantenían vacadas, yeguadas y rebaños de ovejas merinas… El 12 de octubre de 1547, don Hernán Cortés, marqués del valle de Oaxaca, dictó en Sevilla su testamento. Se sentía más agotado que enfermo… En sus cláusulas muestra el mayor espíritu de justicia en favor de los indios…

MARQUÉS DE LOZOYA (1893-1978), Historia de España

¿Hablamos? / Hablemos

¿A qué país de Hispanoamérica te gustaría viajar? ¿Qué culturas precolombinas conoces? Describe una ruta turística ideal desde el Norte al Sur del continente. Recuerda algún baile, alguna música de algún país de Hispanoamérica.

Recordamos pautas conversacionales

Para expresar alegría, para expresar tristeza, para expresar pesimismo, para expresar simpatía, para expresar antipatía, empleamos:

– Estoy loco de alegría; ¡Qué gozada!; Me alegraría mucho si…; Me siento muy contento; Estoy contento con…

– Estoy hecho polvo; ¡Cuánto lo siento!; ¡Cómo lo siento!; ¡Qué pena!; ¡Qué angustia!

– Me temo que…; No hay manera de que…; Tengo mis dudas sobre…; Todo lo veo negro.

– ¡Me cae bien!; Me resulta simpático; Eres un cielo; … le tengo un gran afecto.

– Me resulta antipático; Me cae gordo; No lo trago; Le tengo manía; Es inaguantable.

Lección 15

El español en América

La porción de continente americano cubierta hoy por el español era la sede de más de cien familias de lenguas indígenas diferentes, cuando llegaron a él los conquistadores. Este hecho constituyó inicialmente una gran dificultad para los soldados y para los misioneros: la lengua que aprendían en un territorio de nada les valía en otro vecino; los indios a los que enseñaban español para que les sirvieran de intérpretes, sólo les eran útiles como mediadores con su tribu. Ello desesperaba ya a Colón, que se queja alguna vez de tamaña dificultad.

(…) La Corona, atenta al beneficio espiritual de sus nuevos súbditos, dictó en un principio instrucciones para que los eclesiásticos aprendieran las lenguas de los indios, sin descuidar por ello la enseñanza de la nuestra. El clero secular y las autoridades insistían en esto último, y el Consejo de Indias llegó a redactar una cédula, en 1595, por la que se ordenaba la enseñanza del español a todos los indígenas, con la subsiguiente prohibición de emplear la propia. Pero Felipe II no quiso poner su firma al pie del documento…

(…) En 1796, el arzobispo de México, Francisco Antonio de Lorenzana, se dirige a Carlos III exponiéndole crudamente la situación: son tantos los idiomas amerindios, que no hay misioneros para atender a sus hablantes… El rey, impresionado por el memorial de Lorenzana, ordena que se extingan los diferentes idiomas y sólo se hable el castellano… Casi simultáneamente se decretaba el nombramiento de maestros que enseñasen español en todo el imperio americano.

El Estado no disponía de medios para hacer triunfar ese ambicioso proyecto hispanizador. Y cuando, en 1810, comienza la emancipación de aquellos países, hay unos tres millones de españoles y criollos (americanos descendientes de españoles, bien blancos, bien mestizos) hispanohablantes, y unos nueve millones de indios, casi todos desconocedores del español. Las condiciones parecían propicias para el retroceso de nuestro idioma, pero ha ocurrido todo lo contrario: la hispanización lingüística de Hispanoamérica se ha producido, precisamente, a raíz de su independencia.

FERNANDO LÁZARO CARRETER (1923-2004),
Curso de Lengua Española

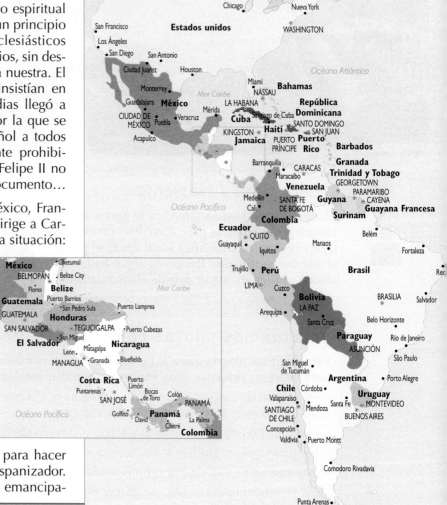

Preguntas

1. Cuando llegan los españoles a América, ¿se habla una sola lengua, o varias?
2. ¿Constituyó un problema para los misioneros?
3. La Corona, ¿qué ordena?
4. Al independizarse, ¿existía un gran número de hablantes del español?
5. ¿Eran propicias las condiciones para el triunfo del castellano?

Esquema Gramatical 1

Formas no personales: el infinitivo

- Expresa la significación global del verbo.

- Expresa, por la terminación, la conjugación a la que pertenece el verbo: **-ar, -er, -ir.**

- Es la forma verbal que puede funcionar como nombre. Como él, puede llevar determinantes y adjetivos que conciertan en la forma masculina.
    El deber le obliga a estar con ellos.

- Cuando va acompañado de los pronominales (complementos directos e indirectos), se posponen.
    Podías habérmelo dicho antes.

- *A* + infinitivo equivale al imperativo.
    ¡A callar!

- Forma parte de gran número de perífrasis.
    Echarse a llorar.
    Ir a comprar pan.

- *Al* + infinitivo adquiere sentido temporal, equivale a *cuando* + la forma verbal correspondiente.
    Al llegar a Toledo (= cuando llegué a Toledo), *llovía.*

- *Por* + infinitivo adquiere sentido causal.
    Por conducir a gran velocidad (= porque conducías…), *te multaron.*

- *Con* + infinitivo equivale a una condición o a una concesión.
    Con preguntar, no se pierde nada.

- *De* + infinitivo equivale a una condición.
    De seguir así, no haremos nada.

- El infinitivo compuesto (*haber* + participio) expresa aspecto acabado.
    De haber conocido la situación, habríamos llegado enseguida.

Al llegar a Toledo, comenzó a llover.   *–Cuando llegué a Toledo, comenzó a llover.*

1. Por permitir fumar, no se puede respirar.
   –_____

2. De conseguir la victoria, iremos a Inglaterra.
   –_____

3. Con ser hijo del catedrático, no aprueba la asignatura.
   –_____

4. A no ser por la huelga de los controladores, hubiéramos salido.
   –_____

5. Con ser tan alto, no consiguió muchos encestes.
   –_____

6. Por conseguir el premio, te compraré una motocicleta.
   –_____

7. ¡A callar! Dijo el profesor a los alumnos.
   –_____

8. Con haber comprado el coche, no has conseguido nada.
   –_____

9. Al coger el autobús, perdí el paquete.
   –_____

10. Con haber castigado al niño, has empeorado la situación.
   –_____

Esquema gramatical 2

Formas no personales: el gerundio

- Expresa acción simultánea con la principal, o anterioridad con respecto a ella.

    Me canso escribiendo.

- Es la forma verbal que puede funcionar como adverbio. Al igual que algunos adverbios puede llevar sufijos diminutivos.

    Se marchó andandito.

- Cuando va acompañado de los pronominales (complementos directo o indirecto), se posponen.

    Saludándonos, se marchó.

- **No** se ha de emplear cuando exprese acción posterior a la del verbo principal.

    Montó en el coche, ~~dirigiéndose~~ a Toledo. (…y se dirigió a Toledo.)

- La proposición adverbial puede adquirir los siguientes valores:
    - **Valor temporal:** *Viniendo al cine, me he encontrado con Ángel.*
    - **Valor condicional:** *Hablando idiomas, no tendrás problemas.*
    - **Valor concesivo:** *Aun estando tú, la situación no cambia.*
    - **Valor causal:** *Hablando a gritos, no satisfizo a nadie.*

- **El gerundio compuesto (habiendo + participio)** indica acción acabada, anterior a la del verbo de la principal:

    Habiéndome puesto una multa, recurrí al ayuntamiento.

Diga qué significado tienen las proposiciones de gerundio y siga el modelo

En *sonando* las campanas, iremos a la iglesia.   *–Cuando suenen las campanas, iremos a la iglesia.*

1. *Estando* la familia reunida, el padre repartió los regalos.

   –_____

2. *Trabajando* con tesón, llegó a millonario.

   –_____

3. *Habiendo terminado* el trabajo, salió de la oficina.

   –_____

4. *Recibiendo* información, saldremos adelante.

   –_____

5. Aun *comprando* barato, no me alcanza el dinero.

   –_____

6. *Encendiendo* la calefacción por la mañana, no tendréis frío.

   –_____

7. *Sabiendo* nadar bien, os metisteis mar adentro.

   –_____

8. *Logrando* ganar los partidos difíciles, seréis campeones.

   –_____

9. *Viniendo* al departamento, me han dado esto para ti.

   –_____

10. Yo, *estando* en desacuerdo, dimití.

   –_____

Esquema gramatical 3

Formas no personales: el participio

- Expresa acción acabada, anterior a la principal.
  Una vez otorgado el premio, nos fuimos a celebrarlo.

- Con el verbo *haber* forma los tiempos compuestos de la conjugación española.
  He comido muy bien.

- Con el verbo *ser* forma la voz pasiva.
  La lección fue estudiada por los alumnos.

- Con el verbo *estar* forma la pasiva de estado.
  Esta puerta está recién pintada.

- Como el adjetivo, cuando completa al nombre, concuerda con él en género y número.
  La noticia manipulada llegó a la opinión pública.

- En proposiciones subordinadas puede adquirir los siguientes valores:
  - **Valor temporal:** *Acabada la cena, nos fuimos a casa.*
  - **Valor causal:** *Aprobada la moción de censura por vosotros, no tiene objeto mi opinión.*

- **Las formas en -ante, -ente, -iente** responden al participio de presente. Algunos de ellos funcionan normalmente como sustantivos: *estudiante, dependiente, presidente.*

- Valor de adjetivo: *El ministro saliente dio una rueda de prensa.*
  La ministra entrante asistió a la rueda de presa.

3 Ponga el verbo en la forma correcta

1. Los alumnos *(haber salir)* _____ cuando llegábamos.

2. El acusado *(ser declarar)* _____ culpable.

3. *(acabar)* _____ la cena, los asistentes se marcharon.

4. Los niños, *(asustar)* _____, no salieron de su escondite.

5. El que canta se llama *(cantar)* _____.

6. Los pactos *(ser incumplir)* _____ por los firmantes.

7. Estuvo *(complacer)* _____ con el adversario.

8. El niño era *(obedecer)* _____ normalmente.

9. No estaba la nota *(corresponder)* _____ al día 30 de agosto.

10. Por la contaminación bebían agua *(hervir)* _____.

4 Exprese por medio de proposiciones de infinitivo o de gerundio las frases dadas

Cuando llegó el momento, nos dijimos adiós.

–Al llegar el momento, nos dijimos adiós.
–Llegando el momento,

1. Cuando redactó la orden, estaba tranquilo.   –_____

2. Si tuviéramos paz, viviríamos tranquilos.   –_____

3. Aunque es muy duro, tiene buen corazón.   –_____

4. Si hubieras aprobado, habrías obtenido un regalo.   –_____

5. Cuando contó el dinero, se llevó una gran alegría.   –_____

6. Cuando explica la lección, es muy explícito.   –_____

7. Si cortan el agua, no nos podremos duchar.   –_____

8. Aunque tiene muchos amigos, nadie le ayuda.   –_____

9. Si tuviéramos tomates, haríamos una ensalada.   –_____

10. Cuando habla, escuchan todos.   –_____

Aprenda

Americanismos léxicos en la lengua española:

– Voces arahuacas: *batata, caimán, caníbal, canoa, hamaca, maíz, maní, tabaco.*

– Voces aztecas: *aguacate, cacahuete, coco, coyote, chocolate, petaca, tomate.*

– Voces quechuas: *alpaca, cóndor, chacra, llama, mate, papa, puma.*

– Voces guaranís: *gaucho, jaguar, mandioca, maraca, petunia, tapioca.*

– Voces caribes: *barbacoa, banana, boniato, butaca, cacique, guateque, piragua.*

Expresiones con "echar"

Echar a suertes.

Echar algo por la borda.

Echar balones fuera.

Echar chispas.

Echar cuentas.

Echar el guante.

Echar en saco roto.

Echar la casa por la ventana.

Echar las campanas al vuelo.

Echar las cartas.

Echar leña al fuego.

Echar los hígados.

Echar mano de algo o alguien.

Echar por la borda.

Echar teatro a algo.

Echar toda la carne en el asador.

Echar un mano a mano.

Echar una mano.

Echar una ojeada.

Echarse atrás.

Echarse un trago.

Echarse una amiga.

5 Utilice la expresión más adecuada

1. La policía le pudo _____ al ladrón.

2. Tenemos que _____ porque a lo mejor no nos alcanza el dinero.

3. Voy a _____ porque tengo mucha sed.

4. Él ha abandonado a su mujer y _____.

5. ¿Me puedes _____ en este trabajo?

6. En la boda de su hija invitaron a medio pueblo y _____.

7. Para solucionar este problema, tenemos que _____.

8. Voy a _____ para ver si ya ha pasado el peligro.

9. Ellos _____ para ver quién era el más fuerte.

10. Si no hay ningún voluntario para este trabajo, tendremos que _____.

6 Explique el significado de las siguientes expresiones

1. Juan parece muy decidido, pero, en cuanto ve que un asunto le va a traer complicaciones, *se echa atrás*.

2. El jefe está que *echa chispas* con él, pues hoy ha vuelto a llegar tarde.

3. Con su mal comportamiento, *ha echado por la borda* toda la confianza que teníamos depositada en él.

4. Te dije que antes de *echar las campanas al vuelo*, te aseguraras de que la noticia era cierta.

5. Con vuestros comentarios tan mordaces, no habéis hecho otra cosa que *echar leña al fuego* en esta discusión, ya de por sí tan desagradable.

6. Espero que no *eches en saco roto* todos los consejos que te acabo de dar.

7. María es muy cómica. Le *echa mucho teatro* a todo lo que hace.

8. Cuando le preguntaron sobre su responsabilidad en este asunto, empezó a *echar balones fuera*, cambiando de conversación.

9. Una gitana le *echó las cartas* y desde entonces está obsesionado con su futuro.

10. Para terminar pronto este trabajo, tendremos que *echar mano de* Pepe.

Ejercicio de acentuación

En las anecdotas que me referia, el entusiasmo de Saul dotaba al episodio mas trivial –la roza de un monte o la pesca de una gamitana– de contornos heroicos. Pero era sobre todo el mundo indigena, con sus practicas elementales y su vida frugal, su animismo y su magia, lo que parecia haberlo hechizado. Ahora se que aquellos indios, cuya lengua habia empezado a aprender con ayuda de los alumnos indigenas de la Mision Dominicana de Quillabamba –una vez me canto una triste y reiterativa cancion incomprensible, acompañandose con el ritmo de una calabaza llena de semillas–, eran los machiguengas. Ahora se que aquellos carteles con dibujitos, mostrando los peligros de pescar con dinamita, que vi apilados en su casa de Breña, los habia hecho para repartirselos a los blancos y mestizos del Alto Urubamba con la intencion de proteger las especies que alimentaban a esos mismos indios que, un cuarto de siglo mas tarde, fotografiaria el ahora difunto Gabriele Malfatti.

MARIO VARGAS LLOSA (1936-), *El hablador*

Los andaluces y la conquista de América

La influencia decisiva del andaluz sobre el español de América hay que buscarla en los primeros años de la conquista (lo que se llama el período antillano). Efectivamente, Colón descubrió todas las Antillas, y en la isla de La Española (hoy Santo Domingo) se instalaron los primeros órganos de gobierno, administración, evangelización y cultura. Fue allí donde se asentaron los primeros colonos y se fundó la primera sociedad criolla; a esta sociedad se refiere el fuerte porcentaje de andaluces a que antes nos hemos referido. En aquellas islas, libre de una norma idiomática que, en España, imponía la Corte, el idioma adquirió un perfil andaluzado, como resultado de la mayoría demográfica andaluza, y de lo persuasivos y contagiosos que resultan los meridionalismos hispanos. Tales rasgos se fortalecían con la llegada de nuevos españoles, los cuales habían de pasar en Sevilla meses, y aun años, en espera de obtener licencia para instalarse en América, e iban ya, por tanto, andaluzados.

FERNANDO LÁZARO CARRETER (1923-2004), *Curso de lengua española*

¿Hablamos? / Hablemos

¿Cree que es muy diferente el español hablado en México y el español hablado en Argentina? ¿El español hablado en Canarias y el español hablado en Caracas es muy diferente? ¿Es diferente el español hablado en Castilla y el español hablado en Andalucía? Describa cómo se presenta el español en la expresión escrita.

Recordamos pautas conversacionales

Para expresar satisfacción, para expresar admiración, para expresar sorpresa, para expresar desilusión, para expresar disgusto, empleamos.

– ¡… me alegra mucho!; ¡Me encanta!; ¡Qué gozada!; Estoy muy contento con…

– ¡Es lo nunca visto!; ¡Vivir para ver!; ¡Es admirable!; ¡Nunca había visto una cosa igual!

– ¡Bromeas?; ¿Lo dices en serio?; ¡No me lo puedo creer!; Me dejas boquiabierto; Me he quedado helado.

– ¡Qué mala pata!; Es una lástima que…; Es una pena que…; ¡Tanto esfuerzo para esto…!; ¡Y yo que creía que…!

– ¡Qué fastidio!; ¡Vaya lata!; ¡Maldita gracia!; No me hace ninguna gracia.

Lección 16

El turismo

España, por su historia, cultura y situación geográfica, es punto casi obligado para una gran parte del turismo europeo, así como para el turismo que llega a Europa. No hay que olvidar que el nivel de vida español, un poco inferior a la media de los países industrializados, hace más asequible a éstos su desplazamiento a España.

El despegue del turismo hacia España tiene lugar en los años sesenta, atraído, en su mayoría, por el sol, es decir, las playas. Es, pues, un turismo que busca el sol y se dirige hacia el litoral.

Los lugares más solicitados son la Costa Brava, la Costa Blanca y la Costa del Sol. El turismo español de élite burguesa había preferido y sigue prefiriendo, por las fechas veraniegas, el Norte: San Sebastián y Santander. A ello hay que añadir Asturias y Galicia.

No hay que olvidar la belleza natural y el clima de las Baleares y de las Canarias, que, con sus características bien diferenciadas, son dos extraordinarios focos de atracción veraniega e invernal a escala nacional e internacional.

Pero, indudablemente, esta visión sería incompleta si no nos refiriéramos al turismo que busca su recreación en aspectos históricos y artísticos. España, en este sentido, además del arte visigótico, románico, gótico, renacentista, etc., ofrece aspectos muy singulares, fruto de las tres culturas que conforman nuestra idiosincrasia: la cristiana, la judaica y la árabe. Córdoba, Granada, Sevilla, Segovia, Toledo, Ávila, Burgos, Soria, León, Salamanca, Cáceres, Santiago de Compostela… pueden ser algunas muestras de nuestras ciudades histórico-artísticas; Madrid, Barcelona y Bilbao añaden su vitalidad cultural y sus excelentes museos.

Por fin, la montaña. Los Pirineos, el sistema Central y Sierra Nevada cuentan con excelentes condiciones para desarrollar los deportes de invierno.

A la serie de estaciones de invierno que fomentan los deportes alpinos, cabe añadir paisajes como el parque nacional de Aigües Tortes, en el Pirineo leridano, y los parques nacionales de Ordesa y Benasque, en el Pirineo de Huesca, que, por su belleza natural y agreste paisaje, merecen la atención de nuevos visitantes.

Preguntas

1. ¿Qué prefiere, el mar o la montaña?
2. Haga una ruta turística por España.
3. Señale rutas turísticas de su país.
4. ¿Qué conoce de España?
5. ¿Qué manifestación artística le gusta más? ¿Por qué?

Esquema gramatical 1

Perífrasis verbales

Las **perífrasis verbales** consisten en el empleo de un verbo auxiliar conjugado con pérdida parcial o total de su significación normal más el infinitivo, gerundio y participio.

- Las perífrasis formadas por un verbo auxiliar + infinitivo dan a la acción carácter orientado hacia el futuro.

  Voy a salir.

- Las perífrasis formadas por un verbo auxiliar + gerundio confieren a la acción carácter durativo.

  Estoy comiendo.

- Las perífrasis formadas por un verbo auxiliar + participio imprimen a la acción carácter perfectivo y la sitúan en el pasado.

  Tienen pensado ir a Toledo.

Esquema gramatical 2

• Tienen carácter progresivo: *Voy a salir.*

Iba a salir.

Tendré que salir.

La acción de salir es siempre futura en relación con el verbo auxiliar, aunque la totalidad del concepto verbal sea, respectivamente, presente, pasado y futuro.

Ir a + infinitivo *echar a* + infinitivo *ponerse a* + infinitivo *romper a* + infinitivo	Acción que comienza a efectuarse. *El autobús va a llegar.*
Venir a + infinitivo *deber de* + infinitivo	Expresión aproximativa. *Viene a costar 2 euros.*
Llegar a + infinitivo *acabar de* + infinitivo *dejar de* + infinitivo	Expresión perfectiva. *Antonio acaba de pasar.*
Haber de + infinitivo *haber que* + infinitivo *tener que* + infinitivo *deber* + infinitivo	Expresión de la obligación. *Juan tiene que estudiar.*

1 Siga el modelo

Son las nueve. El autobús llega. *(ir a)*   *–El autobús va a llegar a las nueve.*

1. A las siete Juan estudia. *(ponerse a)*   –_____

2. Pedro salió corriendo. *(echarse a)*   –_____

3. Al conocer la noticia, Isabel lloró. *(romper a)*   –_____

4. Nos ha tocado la quiniela. Seremos ricos. *(ir a)*   –_____

5. Los zapatos cuestan 72 euros aproximadamente. *(venir a)*   –_____

6. Calculo que serán las diez. *(deber de)*   –_____

7. El coche costó alrededor de 15.500 euros. *(venir a)*   –_____

8. Quizá esté en casa. *(deber de)*   –_____

9. Supuse que estabas loco. *(llegar a)*   –_____

10. He visto a Carlos. *(acabar de)*   –_____

Esquema gramatical 3

- Tiene carácter de acción durativa.

Estar + gerundio

Con verbos de acción no momentánea, realza la noción durativa o denota progreso de una acción habitual.

Carmen está mirando el escaparate.

Con verbos de acción momentánea, introduce sentido reiterativo.

El niño ha estado besando a su madre.

Ir, venir, andar + gerundio

Añaden a la duración del gerundio las ideas de movimiento, iniciación y progreso en la acción.

Voy recopilando el material.
Vengo observando que trabajas bien.
Ando trabajando a marchas forzadas.

Seguir + gerundio

Expresa explícitamente continuidad en la acción.

Sigo pensando que no estuviste acertado.

2 Siga el modelo

Los niños juegan en el patio. *(estar)*   –**Los niños están jugando en el patio.**

1. Los policías buscan al ladrón. *(seguir)*   –_____

2. La niña se sube a la ventana. *(andar)*   –_____

3. El cartero reparte la correspondencia. *(estar)*   –_____

4. Juan solicita empleo. *(venir)*   –_____

5. Pedro recuerda el accidente a cada momento. *(ir)*   –_____

6. Carmen canta en el Real. *(estar)*   –_____

7. En verano van de *camping* a la sierra. *(seguir)*   –_____

8. Javier escribe un cuento para el certamen nacional. *(andar)*   –_____

9. El abuelo camina despacio. *(ir)*   –_____

10. Nieves prepara oposiciones. *(seguir)*   –_____

Esquema gramatical 4

- Expresa acción terminada.

    Te he dejado ahí los apuntes.

- *Haber* + participio forma los tiempos compuestos de la conjugación. El participio, en estas perífrasis, aparece inmovilizado en cuanto al género y al número.

    Juan ha salido de viaje.

    Los niños han llegado tarde.

- Con verbo distinto a *haber*, el participio mantiene la concordancia con el complemento directo.

    Llevo andados muchos caminos.

- Con *ser* y *estar*, el participio concierta con el sujeto.

    Los niños fueron protegidos.

    Sus palabras fueron muy aplaudidas.

- Con el verbo *tener*, el participio concuerda con el complemento directo.

    Tengo oídas todas las sinfonías de Beethoven.

3 Ponga el participio en la forma adecuada

1. Tengo *(comprar)* _____ doscientas botellas de vino.

2. He *(preparar)* _____ la cena lo mejor posible.

3. La policía estuvo *(cercar)* _____ durante mucho tiempo.

4. Llevo *(contar)* _____ cinco penaltis sin señalar.

5. La comisión interfacultativa fue *(autorizar)* _____ a negociar.

6. Habíamos *(elegir)* _____ los mejores trajes para el acontecimiento.

7. Tenían *(seleccionar)* _____ diez novelas.

8. Los jugadores fueron *(amonestar)* _____ por el árbitro.

9. Ya hemos *(estudiar)* _____ el asunto.

10. Tengo *(analizar)* _____ diez obras modernistas.

Esquema gramatical 5

	Regular	**Irregular**
Abstraer	abstraído	abstracto
Atender	atendido	atento
Bendecir	bendecido	bendito
Confesar	confesado	confeso
Confundir	confundido	confuso
Convencer	convencido	convicto
Despertar	despertado	despierto
Elegir	elegido	electo
Maldecir	maldecido	maldito
Manifestar	manifestado	manifiesto
Soltar	soltado	suelto
Suspender	suspendido	suspenso.

NOTA: En los tiempos compuestos se usa siempre el participio regular. Las formas irregulares se suelen utilizar como adjetivos o sustantivos: *Hay que rellenar este impreso; El presidente electo tomó posesión de su cargo.*

4 Utilice el participio más apropiado

abstraer
1. Él estaba tan _____ en sus pensamientos, que no nos oyó llegar.
2. Tus pensamientos son demasiado _____ y te olvidas muchas veces de la realidad.

manifestar
3. Los guerrilleros han lanzado un _____ a toda la población.
4. El presidente ha _____ que no permitirá ninguna huelga general.

suspender
5. La conferencia se ha _____ por falta de público.
6. Él ha tenido cuatro _____ y tiene que repetir curso.

imprimir
7. ¿En qué imprenta se ha _____ este libro?
8. Tiene que rellenar este _____ y entregarlo en la ventanilla 4.

despertar
9. Estoy muy cansado porque me he _____ muy temprano.
10. El niño sigue _____ aunque ya son las dos de la mañana.

Expresiones con "hacer"

Hacer borrón y cuenta nueva.	Hacer la rosca.
Hacer buenas migas.	Hacer la vista gorda.
Hacer carrera.	Hacer pucheros.
Hacer de su capa un sayo.	Hacer sombra.
Hacer de tripas corazón.	Hacer un buen papel.
Hacer el agosto.	Hacerse a la mar.
Hacer el primo.	Hacerse de rogar.
Hacer eses.	Hacerse la boca agua.
Hacer gala de.	Hacerse el sueco.
Hacer la colada.	Hacerse un lío.

5 Utilice la expresión más apropiada

1. Viendo estos pasteles tan ricos, se me _____.
2. Tengo que _____, pues toda mi ropa está sucia.
3. Estaba tan borracho, que iba _____ por la calle.
4. Cuando amanece, los pescadores se _____.
5. No te _____ y cuéntame todo lo que sabes.
6. Ya estoy harto de _____, siempre tengo que pagar las consecuencias.
7. Él _____ y ahora tiene un buen puesto en la empresa.
8. Si quieres que te ayude, tienes que insistirle, pues le gusta _____.
9. Como representante del gobierno, el Ministro de Economía ha _____ en la conferencia de países no alineados.
10. Estoy _____, pues con este problema tan difícil no sé por dónde empezar.

6 Explique el significado de las siguientes expresiones

1. Durante el examen, el profesor vio a algunos alumnos copiando, pero *hizo la vista gorda* y no les expulsó.
2. Creo que la actriz secundaria *le hace sombra* a la protagonista de la obra.
3. Tuvimos que *hacer de tripas corazón* y ayudar a los accidentados.
4. Mis hijos han *hecho buenas migas* con los niños del nuevo vecino.
5. El conferenciante *hizo gala de* sus buenas dotes oratorias.
6. Él siempre está *haciéndole la rosca* a su jefe para conseguir un mejor puesto.
7. Aunque tenía suficientes motivos para seguir enfadado con ella, decidí *hacer borrón y cuenta nueva*.
8. Como está soltero y libre de obligaciones, puede *hacer de su capa un sayo*.
9. Este niño es muy sensible. Siempre que le regaño se pone a *hacer pucheros*.
10. Con este negocio ellos han *hecho el agosto*.

Ejercicio de entonación 23

Generosa: Ya me lo ha dicho Trini.

Paca: ¡Vaya con Trini! ¡Ya podía haberse tragado la lengua! (Cambiando el tono). Y para mí que fue Elvirita quien se lo pidió a su padre.

Generosa: No es la primera vez que les hacen favores de ésos.

Paca: Pero quien lo provocó, en realidad, fue doña Asunción.

Generosa: ¿Ella?

Paca: ¡Pues claro! (Imitando la voz). Lo siento, cobrador, no puedo ahora. ¡Buenos días, don Manuel! ¡Dios mío, cobrador, si no puedo! ¡Hola Elvirita, qué guapa estás! ¡A ver si no lo estaba pidiendo descaradamente!

Generosa: Es usted muy mal pensada.

Paca: ¿Mal pensada? ¡Si yo no lo censuro! ¿Qué va a hacer una mujer como ésa, con setenta y cinco pesetas de pensión y un hijo que no da golpe?

A. BUERO VALLEJO (1916-2000), *Historia de una escalera*

La más bella plaza

Salamanca es la Universidad y la Plaza Mayor. Incluso para quienes lo universitario es lo fundamental, la Plaza es inevitable. Como lugar de paseo y punto de cita, la Plaza Mayor es imprescindible. Si además es artística y armoniosa, resulta única. Por esto es la más bella plaza de España.

Surgió cuando se quiso dotar a la ciudad de un lugar abrigado y cómodo para mercado. Se planeó con lógica y tesón, suave y uniformemente barroca. La Alcaldía conserva los proyectos de Alberto Churriguera y la maqueta para el Ayuntamiento, de Andrés García de Quiñones, en la que se preveían dos cúpulas que no llegaron a realizarse.

En 1729 se iniciaron las obras que habían de durar cinco lustros. Comenzada por el lado este, destaca sobre el Arco del Toro el llamado Pabellón Real, desde el que los monarcas presenciaban las fiestas caballerescas y taurinas: se continuó por el sur y el oeste, para finalizar con la Casa Consistorial al norte. Es ésta un palacio barroco que destaca sobre la horizontalidad de la plaza y rompe su uniformidad, al mismo tiempo que centra la atención en el lado permanentemente soleado del rectángulo.

JULIÁN ÁLVAREZ, *Salamanca*

El turismo

¿Hablamos? / Hablemos

¿Adónde le gusta ir? ¿Qué le gusta visitar? Imagine que dispone de tiempo y de dinero. ¿Qué ruta turística elegiría? Organice una excursión de una semana.

Recordamos pautas conversacionales

Para expresar dolor, para lamentarse de algo, para expresar arrepentimiento, para expresar resignación, para expresar alivio, empleamos:

– ¡Cómo me duele!; ¡Qué daño me hace!; ¡Qué dolor!; Nunca me ha dolido como ahora.

– ¡Qué le vamos a hacer!; Es lamentable que…; ¡Quién lo iba a decir!; ¡Qué desastre!; Desafortunadamente…

– Siento mucho lo ocurrido; Lo siento, pero yo no pensaba que…; ¡Dios mío, por qué lo habré hecho!; Espero que me sirva de escarmiento.

– A la fuerza ahorcan; ¡Vale, vale, de acuerdo!; Si no hay más remedio…; Podría haber sido peor; No somos nadie.

– ¡Qué descanso!; ¡Qué tranquilidad!; ¡Ya era hora!; Por fin respiro; ¡De buena me he librado!

La emigración

Un fenómeno importante en la configuración de la España actual ha sido el movimiento migratorio, considerado tanto en su aspecto interno como externo.

Como es sabido, los movimientos migratorios se producen por diferencias de tensión demográfica sobre los recursos económicos disponibles. El funcionamiento de este mecanismo se aprecia claramente en nuestra migración interior. El más fuerte crecimiento vegetativo de la España peninsular se da en Galicia, Murcia, Extremadura y en el interior de Andalucía. Todas las zonas mencionadas son de baja renta per cápita, originándose en ellas una alta tensión demográfica sobre los recursos, que desencadena la emigración a las áreas de mayor desarrollo industrial y menor crecimiento vegetativo. Se crea así una serie de corrientes migratorias a Madrid, todo el Norte y Cataluña.

Las zonas de inmigración, pues, en España, se han agrupado en torno al Valle del Ebro. En el extremo noroeste de ese eje aparecen el País Vasco y Navarra; en el centro, Zaragoza capital, y en el extremo inferior, todo el litoral mediterráneo, desde Gerona a Alicante.

Figuran también Madrid, en el interior, que está rodeada de un fuerte despoblamiento, y dos archipiélagos (Canarias y Baleares).

Con relación a la emigración exterior, exceptuando la que produjo la Guerra Civil, en un principio se dirigió hacia Hispanoamérica; prácticamente hasta 1958, en que la prosperidad alcanzada por los países europeos hizo que la mano de obra española se dirigiera allí masivamente. En los años de auge económico europeo, más de un millón de españoles cruzaron las fronteras con el fin de instalarse allí. Con la recesión europea (1974-1977) la emigración remitió hasta anularse.

Con el abandono de las zonas rurales en busca de puestos de trabajo en la industria y servicios, la población se ha ido concentrando en los grandes núcleos urbanos. Madrid y Barcelona, por ejemplo, que al acabar la Guerra Civil apenas si llegaban al millón de habitantes, cuentan hoy con más de cuatro millones en su área metropolitana.

España, en la actualidad, es un país de una fuerte inmigración procedente del Magreb, de Hispanoamérica y de algunos países del Este de Europa y del África Subsahariana.

Preguntas

1. ¿Por qué se produce el fenómeno migratorio?
2. ¿En qué zonas tiene mayor incidencia la emigración?
3. ¿Cuáles son las zonas receptoras?
4. ¿Hacia dónde se ha dirigido la emigración española?
5. Describa el fenómeno migratorio de su país.

Esquema Gramatical 1

Indicativo: presente

Con el **modo indicativo** expresamos hechos, bien afirmando, negando o preguntando, que ocurren, han ocurrido u ocurrirán en la realidad. La acción del verbo es real y no existe intervención subjetiva del hablante.

Presente: expresa un amplio intervalo de tiempo que precede y sigue al instante mismo del acto verbal.

- **Presente actual:** expresa la acción en relación con el momento de la palabra.
  Desde que te conozco, hablamos de lo mismo.

- **Presente habitual:** expresa la acción como usual y acostumbrada.
  Por las noches ando siempre de discoteca en discoteca.

- **Presente gnómico:** expresa máximas, definiciones, etcétera, con validez fuera de todo límite temporal.
  La tierra es redonda.

- **Presente por pasado:** expresa actualización y mayor viveza de una acción pasada, al acercar ficticiamente el tiempo pasado al actual.
  Carlos I reina en 1530.

- **Presente de conato:** expresa acción situada en el pasado que no llega a realizarse. Precedido de las locuciones adverbiales *por poco, a poco más, a poco, casi.*
  Por poco me caigo.

- **Presente por futuro:** expresa acción ampliada, con el fin de conseguir un acercamiento psíquico.
  Mañana voy al campo a descansar.

- **En las expresiones interrogativas,** cuando se pregunta por órdenes, decisiones, etcétera, que se han de realizar después, se utiliza el presente.
  ¿Qué hacemos ahora?

- Expresa, **con valor de mandato**, situaciones no comenzadas que han de cumplirse en el futuro. Sustituye al imperativo.
  ¡Tú te callas!

- Se emplea, **para expresar futuro**, en la prótasis condicional.
  Si quieres, toma mi coche.

1 Emplee el presente

1. Desde que (conocerte) _____, siempre cuentas lo mismo.
2. Por las mañanas (dormir) _____ mejor que por las noches.
3. Los leones (ser) _____ animales mamíferos.
4. Si los obreros (ir) _____ a la huelga, paralizarán las obras.
5. Tú (venirte) _____ con nosotros.
6. Los periódicos (publicar) _____ muchos anuncios.
7. Por la tarde nosotros (ir) _____ a tu casa.
8. Mañana por la mañana nosotros (salir) _____ de viaje.
9. Los Reyes Católicos (expulsar) _____ a los árabes.
10. Cristóbal Colón (descubrir) _____ América.

2 Diga qué tipos de presentes aparecen y ponga el tiempo correspondiente si es posible

Mañana voy al médico.   –*Mañana iré al médico.*

1. Pasado mañana vamos al teatro.   –_____
2. ¡Tú te callas!   –_____
3. ¿Qué estudiamos ahora?   –_____
4. Por poco me quedo sin desayunar.   –_____
5. A las tres venimos a despedirnos.   –_____
6. Estábamos reunidos y, de pronto, aparece la policía.   –_____
7. La Guerra Civil española empieza en 1936.   –_____
8. ¿Qué hacemos a partir de ahora?   –_____
9. Si quieres, vamos al cine.   –_____
10. El jueves es fiesta.   –_____

Esquema Gramatical 2

Indicativo: pretérico imperfecto

Expresa una acción pasada inacabada. No señala ni el principio ni el fin de la acción.

- **Imperfecto descriptivo:** dado su carácter durativo, presenta rasgos ambientales, paisajes…
  El pueblo estaba situado en lo alto de la colina, era pequeño y blanqueaba en todos sus rincones.

- Expresa una acción simultánea a otra.
  Escuchaba música mientras veía la televisión.

- Expresa una acción continua cuando se realiza otra.
  Llovía cuando llegaron.

- **Imperfecto de cortesía,** tiene un marcado valor de presente.
  Quería preguntar si…   *¿Qué quería usted?*

- **Imperfecto de conato,** cuando se desplaza hacia el futuro.
  En ese momento, salía para Barcelona.

3 Diga qué tipos de imperfectos aparecen en estas frases

1. ¿Podía plantearle un problema?
2. Dormían cuando llamaron a la puerta.
3. Andaba siempre aseado porque cuidaba mucho su imagen.
4. Mientras jugaba al ajedrez, solía cantar.
5. Venía a que usted me dijera qué debo hacer.
6. Estoy aquí porque iba a participar en el coloquio.
7. ¿Deseaba hablar conmigo?
8. El paisaje estaba desolado: la hierba apenas si existía.
9. Entraba cuando nosotros salíamos.
10. Estudió mientras tenía ilusión.

Esquema Gramatical 3

Indicativo: futuro imperfecto

- Expresa una **acción futura** independiente de cualquier otra acción.

   Mañana iré al cine.

- En la segunda persona expresa **valor modal obligatorio** cuando sustituye al imperativo.

   No matarás.   ¡Harás lo que te ordene!

- Expresa **probabilidad** cuando se emplea en relación con el presente.

   Pedro ya estará en casa.

- **Perífrasis** que pueden suplir al futuro y, a la vez, añaden matizaciones modales:

   Haber de + **infinitivo,** *deber (de) +* **infinitivo,** *ir a +* **infinitivo.**

   Este verano vamos a hacer un viaje por Europa.

4 Ponga el verbo en futuro. Utilice la perífrasis y diga qué tipos de futuro aparecen

El mes próximo *(pagar)* _____ el alquiler.

–*El mes próximo pagaremos el alquiler.*
–*El mes próximo tendremos que pagarlo.*

1. No te *(enfrentar)* _____ a las fuerzas del orden.   –_____
2. *(Hacer)* _____ lo que te manden.   –_____
3. *(Ser)* _____ las cinco de la tarde.   –_____
4. ¿*(Poder, tú)* _____ atenderme unos minutos?   –_____
5. Ellos *(ver)* _____ lo que dice la prensa mañana.   –_____
6. Juan nos ha dicho que *(haber)* _____ manifestación.   –_____
7. ¿Crees que *(estudiar, tú)* _____ mucho?   –_____
8. ¡No *(discutir)* _____ *(vosotros)* más!   –_____
9. Mañana nosotros *(salir)* _____ de viaje.   –_____
10. ¿Quién *(llamar)* _____ a estas horas?   –_____

Expresiones con "tener"

Tener a uno entre los ojos.	Tener manía.
Tener aldabas.	Tener mano izquierda.
Tener buena/mala pata.	Tener más años que Matusalén.
Tener buenas/malas pulgas.	Tener más conchas que un galápago.
Tener buenas salidas.	Tener miga.
Tener cabeza de chorlito.	Tener pasta.
Tener cada ocurrencia que…	Tener personalidad.
Tener cubierto el riñón.	Tener renombre.
Tener en cuenta.	Tener siete vidas.
Tener la lengua larga.	No tener pelos en la lengua.
Tener la vida en un hilo.	No tener pies ni cabeza.
Tener madera.	Cada maestrillo tiene su librillo.

5 Utilice la expresión más apropiada, según el cuadro anterior

1. Esta canción es muy antigua, _____.

2. Mucha gente le admira porque _____.

3. El queso manchego _____ en el extranjero.

4. Ella no _____ y dice todo lo que piensa.

5. No podemos decir que su método sea malo porque _____.

6. A Carlos todo le sale mal, el pobre siempre _____.

7. Este cómico es muy divertido y _____.

8. Este niño pinta muy bien, yo creo que _____ de artista.

9. Ten cuidado con él, pues _____.

10. El enfermo _____; hay muy pocas esperanzas de que se salve.

6 Explique el significado de las siguientes expresiones

1. Este profesor *me tiene manía*. Siempre que le pregunto algo, me contesta mal.

2. Ten cuidado con él. Aunque parece un ingenuo, *tiene más conchas que un galápago*.

3. No creáis que este asunto es fácil, en realidad *tiene mucha miga*.

4. Con la herencia que ha recibido *tiene bien cubierto el* riñón.

5. Después de haber tenido tantos accidentes, creo que Paco *tiene siete vidas*.

6. Antonio actúa siempre sin pensar lo que hace. *Tiene una cabeza de chorlito*.

7. Pedro triunfará en la vida pues *tiene buenas aldabas*.

8. Este chico *tiene cada ocurrencia* que da risa.

9. Lo que estás diciendo *no tiene ni pies ni cabeza*.

10. Para analizar bien esta situación, hay que *tener en cuenta* todos los factores políticos y económicos.

Ejercicio de puntuación

Un aeropuerto es el lugar más impersonal del mundo y por lo tanto el lugar donde la conducta del hombre puede ser e incluso suele ser más virtuosa no se ha sabido nunca de un crimen cometido en un aeropuerto todo el mundo habla camina mira y escucha sin prisa y sin pausa las palabras de los altavoces indicando la hora de salida de los aviones la ruta y las puertas de acceso son palabras dichas en tono claro y tranquilo los grupos que salen de los aviones recién aterrizados están formados por personas sonrientes todo el mundo sonríe cuando sale de un avión por la alegría del reencuentro con la tierra los grupos de los que van a abordar el avión de salida están formados por personas taciturnas que tienen la preocupación del accidente mortal pero la llevan con dignidad.

RAMÓN J. SENDER (1901-1982), *La llave y otras narraciones*

Características de lo que fue la emigración hacia el exterior

Tradicionalmente, la emigración hacia Hispanoamérica ha tenido sus focos, principalmente, en regiones atlánticas: Galicia, Asturias y Canarias, y sus componentes, en un principio campesinos, han pasado a pertenecer al sector secundario (industria) y al sector terciario (servicios). Pero, en un caso u otro, ha sido una emigración familiar y permanente, participando en ella gentes de todas las edades y de ambos sexos.

Por el contrario, la emigración hacia Europa ha tenido sus focos principales en Andalucía, Levante e interior. Por el alto nivel de industrialización de los países receptores, la mano de obra de nuestros emigrantes era contratada como mano de obra barata y no especializada, para cubrir los puestos peor remunerados que los nativos podían dejar vacantes. De ahí que sean poco frecuentes los traslados familiares y abunden los hombres en edad laboral.

Entrado el siglo XXI, España se ha convertido en un país receptor de inmigrantes.

En el principio

Si he perdido la vida, el tiempo, todo
lo que tiré, como un anillo, al agua;
si he perdido la voz en la maleza,
me queda la palabra.

Si he sufrido la sed, el hambre, todo
lo que era mío, resultó ser nada,
si he segado las sombras en silencio,
me queda la palabra.

Si abrí los labios para ver el rostro
puro y terrible de mi patria,
si abrí los labios hasta desgarrármelos,
me queda la palabra.

BLAS DE OTERO (1916-1979)

Me viene, hay días, una gana ubérrima, política…

Quiero para terminar,
cuando estoy al borde célebre de la violencia
o de lleno de pecho el corazón, querría
ayudar a reír al que sonríe,
ponerle un pajarillo al malvado en plena nuca,
cuidar a los enfermos enfadándolos,
comprarle al vendedor,
ayudarle a matar al matador —cosa terrible—
y quisiera yo ser bueno conmigo
en todo.

CÉSAR VALLEJO (1892-1938)

La emigración

¿Hablamos? / Hablemos

Emigrar, ¿adónde? La emigración como un grave problema humano. La emigración busca nuevos horizontes de vida. Hable de la emigración hacia América. La emigración entre los países europeos.

Recordamos pautas conversacionales

Para expresar duda, para expresar miedo, para expresar repulsión, para rechazar, empleamos:

– No me lo puedo creer; Si tú lo dices…; Yo, que tú, me lo pensaría…; No me fío ni de mi sombra.

– ¡Qué susto!; Estoy muerto de miedo; Se me hace un nudo en la garganta; ¡Qué espanto!

– ¡Qué asco!; ¡Qué peste!; ¡Qué repugnante!; ¡Qué inmoralidad!

– Conmigo no cuentes; Te repito que no.

– ¡Ni pensarlo!; ¡Largo!; ¡Vete a paseo!; ¡Que te zurzan!; No quiero volver a verte.

Lección 18

La diversidad peninsular

«España es diferente» constituyó uno de los eslóganes más repetidos en los años sesenta del siglo pasado de cara al turismo.

La diferencia, a nuestro entender, consiste en que su peninsularidad se presenta de modo diverso. Es diversa su climatología, su orografía, su distribución de la riqueza y su distribución humana.

En efecto, desde una perspectiva climática, podemos distinguir:

a) El clima atlántico, con temperaturas suaves, sin grandes oscilaciones y con abundancia y regularidad de lluvia. Comprende el litoral cantábrico y Galicia. Es, por antonomasia, la España húmeda.

Presenta una densidad de población superior a la media nacional, eminentemente dispersa en pequeños núcleos rurales, salvo las grandes aglomeraciones urbanas de las zonas más industriales: País Vasco y cuenca minera asturiana. El campo presenta la estructura del minifundio.

b) El clima continental, con temperaturas extremadas y grandes oscilaciones (según sea verano o invierno), presenta escasez de lluvias. Comprende el interior: La Meseta y las depresiones del Ebro y Guadalquivir.

En los últimos años, esta zona ha sufrido una grave recesión humana, salvo el área de Madrid; los núcleos rurales se han ido despoblando en beneficio de las zonas industriales. Se da, con frecuencia, el latifundio.

c) El clima mediterráneo, con temperaturas suaves y cálidas, presenta escasos días de lluvia, siendo las precipitaciones torrenciales. Los veranos suelen ser áridos. Comprende el litoral mediterráneo. El otoño es la mejor estación del clima mediterráneo, a causa de que las temperaturas se mantienen aún cálidas, más altas que en primavera y, en cambio, la cantidad de agua recogida es mayor.

Presenta una gran densidad de población, agrupada en grandes ciudades y bellos pueblos antiguamente marineros y hoy volcados en lo que constituye su gran actividad: el turismo. La huerta es su gran riqueza agrícola.

Preguntas

1. ¿Es uniforme el clima en España?
2. ¿Cuál es el clima de su país?
3. ¿Cuáles son las características del clima mediterráneo?
4. ¿En qué zona de España se da el clima atlántico?
5. ¿Dónde hay gran densidad de población?

Esquema gramatical 1

El condicional simple

Es un tiempo relativo, ya que su presencia implica la aparición de un tiempo pasado.

- Expresa **acciones originadas en el pasado**, pero orientadas siempre hacia el futuro. Es el futuro del pasado.

    Dijeron que estudiarían el asunto.

- Expresa **probabilidad referida al pasado**.

    Cuando llegó, serían las once.

- Expresa **cortesía referida al presente**.

    ¿Tendría una habitación doble?

- El condicional es tiempo empleado, como su nombre indica, en la apódosis de las oraciones condicionales y, en éstas, la indicación del tiempo que expresa depende de la estructura oracional.

    Si Juan se dedicara a los negocios, sería millonario.

1 Ponga el verbo en condicional simple y diga qué tipo de condición aparece

1. En la Luna *(poder)* _____ haber vida.

2. ¿*(Querer)* _____ indicarme dónde está el enfermo?

3. Cuando llegaron, *(ser)* _____ las doce.

4. Si hicieras deporte, *(tener)* _____ mejor ánimo.

5. Dijo que *(venir)* _____ ahora.

6. Al acabar la cena, *(ser)* _____ las diez.

7. Si supieras lo ocurrido, te *(alegrar)* _____.

8. Me *(gustar)* _____ que contaras conmigo para la fiesta.

9. Si lloviera, no *(ir)* _____ de excursión.

10. Dijeron que *(inaugurar)* _____ la presa a fin de año.

Esquema gramatical 2

Pretérito indefinido/pretérito perfecto

- **Pretérito indefinido:** expresa una acción completamente realizada. No hay ninguna relación con el hablante-presente.

  > *Ayer, hace un año, anoche, una vez, el año pasado, la semana pasada, estuve en París.*

- **Pretérito perfecto:** expresa una acción realizada en una unidad de tiempo que guarda relación con el hablante-presente.

  > *Siempre, este año, aún, todavía, esta semana, hoy, ahora.*
  >
  > *Ayer estudié mucho.   Hoy he estudiado mucho.*
  >
  > *Anoche llovió mucho.   Esta noche ha llovido mucho.*

- Cuando el tiempo psicológico es preponderante, puede sustituirse el pretérito indefinido por el pretérito perfecto y viceversa.

  > *¡Ya acabé el trabajo!* (Hoy).
  >
  > *Mi madre ha muerto el mes pasado.*

2 Ponga el verbo en el tiempo adecuado

1. Este año *(llover)* _____ poco, pero el año pasado *(llover)* _____ menos.

2. Ayer me *(enterar)* _____ de que tú *(llegar)* _____ esta mañana, pero no *(poder)* _____ esperarte porque *(tener)* _____ una cita importante.

3. Tu padre *(decirme)* _____ que tú *(estar)* _____ en París, pero que pronto *(venir)* _____.

4. Anoche el director *(enfadarse)* _____ con los alumnos porque *(celebrar)* _____ una asamblea sin su permiso.

5. Ahora *(esperar)* _____ la noticia con ilusión, pues el año pasado *(llevarme)* _____ un gran disgusto.

6. Hace un mes que *(caerme)* _____ y todavía no *(reponerme)* _____.

7. Los Reyes *(llegar)* _____ a Santander dos horas después que el Presidente del Gobierno.

8. Esta mañana *(bajar)* _____ al pueblo para hacer compras.

9. Esta tarde a primera hora *(ver)* _____ un gran partido de baloncesto.

10. Ahora *(decidir)* _____ irnos de excursión.

Esquema gramatical 3

Pretérito pluscuamperfecto/ pretérito anterior

- **Pretérito pluscuamperfecto:** expresa anterioridad con relación a otra acción también pasada.

  Cuando llegaron, ya habían terminado.

- **Pretérito anterior:** expresa una acción pasada inmediatamente anterior a la otra, también pasada.

  Cuando hubo terminado, se marchó.

– Cuando el tiempo transcurrido entre las acciones es corto, empleamos: *enseguida que, luego que, apenas.*

  Apenas había cenado, se acostó.

– El pretérito anterior se utiliza muy poco en la expresión oral porque con los adverbios o locuciones adverbiales *apenas, en cuanto, tan pronto como,* etc., queda neutralizado por el uso del pretérito pluscuamperfecto.

3 Ponga el verbo en la forma adecuada del pluscuamperfecto o del pretérito anterior

1. Cuando me avisaron, yo ya *(salir)* _____ de casa.

2. Se acostó cuando *(anochecer)* _____.

3. Aunque *(llover)* _____, el suelo no estaba mojado.

4. Ellos sabían que él *(aprobar)* _____ el examen.

5. Era la tercera vez que te *(comentar, yo)* _____ algo sobre él.

6. Empezó la película apenas *(arreglar, ellos)* _____ la máquina de proyectar.

7. Llegué al aeropuerto cuando el avión *(despegar)* _____.

8. Cuando *(heredar)* _____ la empresa, sólo se preocupó de trabajar.

9. Una vez que *(desayunar, ellos)* _____, se marcharon.

10. Apenas *(terminar, él)* _____ de hablar, el público aplaudió largamente.

Esquema gramatical 4

• **Futuro perfecto:** expresa acción concluida en el futuro, anterior, a su vez, a otra acción futura.

> *Cuando os despertéis, ya habremos pasado la sierra.*

Expresa la sorpresa o la probabilidad de una acción terminada en el pasado.

> *Supongo que habrán arreglado el televisor.*
> *No te habrás gastado todo ese dinero, ¿verdad?*

• **Condicional compuesto:** expresa acción futura respecto al pasado, pero anterior a otra acción.

> *Le dije que cuando recibiera el libro, ya habría transcurrido un mes.*

Expresa probabilidad en el pasado, pero indicando que la acción está concluida.

> *Por aquellas fechas, ya habría expuesto alguna vez.*

Expresa una condición no realizada si se combina con el pretérito pluscuamperfecto de subjuntivo.

> *Si hubieras llegado a tiempo, habrías participado en el juego.*

4 · Ponga el verbo en la forma adecuada del futuro perfecto o del condicional compuesto

1. Creo que ellos *(salir)* _____ de viaje.

2. ¿Él *(llegar)* _____ ya?

3. Les dije que cuando les avisaran, ya *(comprar)* _____ otro coche.

4. Si hubierais comprado la televisión, *(ver)* _____ los partidos del Mundial.

5. Creo que mañana ella *(encontrar)* _____ una pensión.

6. ¿No *(traer, tú)* _____ agua, por casualidad?

7. Cuando acabéis, yo ya *(ducharme)* _____ .

8. Si hubieran devaluado el dólar, nosotros *(salir)* _____ beneficiados.

9. Por aquella época, ellos ya *(trasladarse)* _____ a Madrid.

10. Supongo que ellos *(estudiar)* _____ los pormenores del contrato.

5 Conjugue el verbo entre paréntesis en el tiempo y modo más apropiados

Visitando al enfermo

– _____ *(haber)* que ir a ver a Pepe. ¿No _____ *(ir)* a ver a Pepe?

– _____ *(ser)* verdad, ¡pobre! _____ *(haber)* que ir a verle.

Y para no quedar fatal _____ *(decidirse)* a visitar a Pepe. Pero, ¿a qué hora? Más discusiones sobre la que mejor _____ *(convenir)* a ambos. Por fin _____ *(coincidir)* en el momento libre. Las siete, eso _____ *(ser)*. Te _____ *(recoger)* a las siete menos cuarto e _____ *(ir)* juntos. A esa misma hora varias parejas que _____ *(tener)* el mismo escrúpulo de no haber ido a ver a Pepe _____ *(reunirse)* en cualquier lugar de Madrid para cumplir con su obligación sentimental-social. Y así, doce amigos se _____ *(presentarse)* juntos en la habitación de Pepe, llenándola de gritos y ruido.

–¡Qué buen aspecto _____ *(tener)*! _____ *(estar)* estupendo–, _____ *(decir a coro)*.

Oyéndolos cualquiera _____ *(pensar)* que su amigo, en circunstancias normales _____ *(tener)* una cara deplorable y que nunca _____ *(estar)* mejor que al encontrarse metido entre sábanas.

–¡Qué suerte _____ *(tener)*, sinvergüenza! Aquí tan calentito y nosotros en la calle.

No _____ *(saber)* qué frío _____ *(hacer)* por fuera. Y las enfermeras, ¿qué tal? _____ *(oír)*, _____ *(ver)* una en el pasillo… Ah, bueno, ¿y qué _____ *(decir)* el médico?

–Pues el médico… – _____ *(principiar)* el enfermo, que apenas _____ *(poder)* pronunciar una palabra desde que _____ *(llegar)*.

–Claro, hombre, claro, lo que yo _____ *(pensar)*. A la calle en cuatro días. Te lo _____ *(decir)* yo. Ahora que, en tu caso, yo _____ *(quedarse)* unos días más. ¿Qué prisa _____ *(tener)* en volver a la oficina?

Y así se _____ *(suceder)* los minutos de la visita. Luego, entre golpecitos cariñosos y promesas de vuelta, _____ *(ir)* saliendo todos y el enfermo _____ *(quedarse)* solo, envuelto en un tremendo silencio.

FERNANDO DÍAZ-PLAJA (1918-), *Gente de la calle*

Expresiones con "en"

Bailar en la cuerda floja.	En plena lucha.
Bañarse en agua de rosas.	En pleno día.
Caer en desgracia.	En un abrir y cerrar de ojos.
Caer en gracia.	Estar en ascuas.
En alta mar.	Ir de mal en peor.
En casa del herrero, cuchillo de palo.	Mentar la soga en casa del ahorcado.
En contra de mi voluntad.	Pasar de mano en mano.
En cuclillas.	Poner en la calle.
En la mesa y en el juego se conoce al caballero.	Poner en solfa.
En mi vida.	Tener en cuenta.
En otros términos.	Venir en ayuda.

6 Explique el significado de las siguientes expresiones

1. El robo del banco lo realizaron *en pleno día*.

2. En su última novela, este escritor *pone en solfa* a todo el mundillo político.

3. Hay que plantear el problema *en otros términos*.

4. Hablar con él sobre desavenencias familiares es como *mentar la soga en casa del ahorcado*.

5. Él le *ha caído en gracia* al director y ahora es uno de sus consejeros.

6. Me duelen las piernas porque he estado mucho tiempo *en cuclillas*.

7. Estamos *en plena lucha* con la administración para conseguir una mejora de nuestras instalaciones.

8. El barco se hundió *en alta mar*.

9. Compórtate bien, pues ya sabes que *en la mesa y en el juego se conoce al caballero*.

10. Debido a la crisis económica, muchos puestos de trabajo están *bailando en la cuerda floja*.

7 Utilice la expresión más adecuada

1. Antes de tomar una decisión, hay que _____ los pro y los contra.

2. Si no dejas la droga, _____.

3. Esto es maravilloso, _____ he visto cosa tan bonita.

4. Varios botes de salvamento _____ de los náufragos.

5. El accidente de coche ocurrió _____.

6. Se ha quedado sin trabajo, pues su jefe lo _____.

7. Aunque mi padre es electricista, la mayoría de los enchufes de nuestra casa están estropeados, ya sabes que _____.

8. Mi hijo ha estudiado filosofía _____.

9. Él era antes el ojito derecho del director, pero ahora _____.

10. A pesar de la gran vigilancia, el documento secreto _____.

Ejercicio de acentuación

Dormia con la boca abierta cuando recogi sus ropas y las fui guardando en la valija, separe sin tocarlos los papeles, la medalla, el lapiz, el encendedor y el dinero que contenian los bolsillos. Apague la luz y sali, golpe a golpe la valija contra mi rodilla, calculando donde podria esconder o quemar las ropas, donde me seria posible encontrar a Stein para mentirle con mi silencio, para burlarme sin agresividad al pensar en todo aquello frente a su alegria, su inteligencia, la sucia avidez por la vida que le inquietaba. Me convenci de que era necesario no solo hallar a Stein, sino situarlo en la primera tentativa; en la cigarreria de la esquina del hotel fracase al consultar a Mami por telefono.

Juan Carlos Onetti (1909-1994), *La vida breve*

El Ebro

Entre la cordillera Pirenaica, la cordillera Ibérica y las cordilleras costero-catalanas, corre en dirección Norte-Sudeste el Ebro, regando la depresión de su nombre. Su cuenca, que se extiende por el Norte en forma de cuña hasta la cordillera Cantábrica, rebasa, no obstante, ampliamente los límites de la depresión estructural del Ebro. Por su cuenca (84.000 km²), por su longitud, 928 km, y por su caudal (615 m³/s a su paso por Tortosa), es el segundo de los ríos españoles y uno de los mayores que tributan al Mare Nostrum.

Nace en Fontibre, cerca de Reinosa, en la provincia de Santander.

Al este de Reinosa forma una zona pantanosa en la que el embalse de su nombre regula sus aguas y forma un extenso lago artificial. Al este de Miranda de Ebro penetra ya en la depresión que lleva su nombre y que recorrerá en casi toda su extensión hasta cruzar por un angosto paso la cordillera costero-catalana, poco antes de penetrar en la vega de Tortosa y de verter sus aguas en el Mediterráneo, después de formar un amplio delta de 320 km², que ha ido avanzando mar adentro a razón de 10 m por año.

J. VILÁ VALENTÍ, *España*

Ejercicio de entonación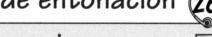

El mar, la mar

El mar. La mar.
El mar. ¡Sólo la mar!

¿Por qué me trajiste, padre, a la ciudad?
¿Por qué me desenterraste del mar?

En sueños, la marejada
me tira del corazón.
Se lo quisiera llevar.
Padre, ¿por qué me trajiste acá?

Si mi voz muriera en tierra,
llevadla al nivel del mar
y dejadla en la ribera.

Llevadla al nivel del mar
y nombradla capitana
de un blanco bajel de guerra.

¡Oh mi voz condecorada
con la insignia marinera:
sobre el corazón, un ancla
y sobre el ancla, una estrella
y sobre la estrella, el viento
y sobre el viento, la vela!

RAFAEL ALBERTI (1902-1999), *Marinero en Tierra*

La diversidad peninsular

¿Hablamos? / Hablemos

¿Qué paisaje te gusta más? Describe el paisaje conocido que más te gusta. ¿Te gusta la construcción popular? Describe la diversidad de paisaje de tu país.

Recordamos pautas conversacionales

– Para formular (realizar) un nuevo comentario, empleamos *pues, pues bien, así las cosas, dicho eso; dicho esto…*

– Para ordenar un discurso, empleamos *en primer lugar / en segundo lugar / en tercer…; por una parte / por otra parte; de un lado / de otro lado; asimismo; igualmente; luego…; por último, en último lugar, en último término, en fin, por fin, finalmente*, etcétera.

– Para introducir un comentario lateral con respecto a lo dicho, empleamos *por cierto, a todo esto, a propósito, dicho sea de paso, dicho sea, entre paréntesis…*

El fútbol

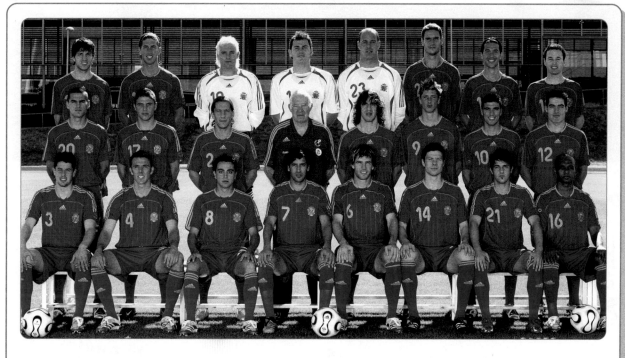

(…) Esto de la rivalidad regional es un asunto de ribetes fratricidas, con las raíces bien hundidas en los barros de la historia y que suele fundamentarse en los valores autóctonos y en el arte popular. Como se sabe, nada más pernicioso, con excepción de la gimnasia rítmica, que lo autóctono y lo folclórico, especialmente para involucrarlo con un fenómeno tan universal y artístico como el fútbol.

(…) El Madrid, no se olvide, es menos que un club, y el Barcelona, ya se sabe, es más que un club… El Barça, desde Felipe V, se ha visto obligado a ser más que un club. Gracias a la Real Sociedad, a la que en ocasiones se le nota que es un club playero, este año se enfrentarán Madrid y Barcelona en su condición de primeros clasificados. Ahí, y únicamente ahí, radica la posible emoción del encuentro y la más que probablemente ínfima calidad de juego que nos ofrecerán éstos, más o menos. Pero cabe temer, vistos los antecedentes, que los demósofos del fútbol transformen el resultado en una muestra de superioridad racial.

Los individuos que amamos, admiramos y disfrutamos las ciudades de Barcelona y Madrid, que sabemos callejearlas y utilizar sus líneas de autobuses para ir a casa de los amigos, no podemos entrar en este jueguecito de la sardana contra el chotis. O nos negamos al provincianismo o, como jugador número doce, no vamos a oler cuero, cuando dentro de poco nos marquen el primero gentes tan aparentemente distintas a nosotros como los chinos o los alemanes. Hay que entrenarse a no ser regionales, porque el Mundial está en puertas y para este Mundial ya hemos sido seleccionados como jugadores número doce. Por mucho que les cueste a sus forofos y por mucho que se defraude la afición en general, habrá que considerar que el Barcelona es un club y que el Madrid es un club.

JUAN GARCÍA HORTELANO (1928-1992), *Ni más ni menos*

Preguntas

1. ¿Es usted aficionado al deporte?
2. ¿Qué deporte practica?
3. Deporte o política.
4. La rivalidad deportiva, ¿es necesaria?
5. Según el texto, la rivalidad Real Madrid-Barcelona, ¿es deportiva o política?

Esquema Gramatical 1

El modo subjuntivo

- Expresa la participación subjetiva del hablante. Es el modo de la irrealidad frente al indicativo, que manifiesta la realidad.

- Los tiempos del subjuntivo suelen ir subordinados, integrados en oraciones compuestas.

    Quizá me llame hoy.

    Afirmo que quizá me llame hoy.

- Empleamos el subjuntivo si queremos expresar duda, deseo, incertidumbre, emociones, sentimientos, ruego, exhortación.

    Dudo de que venga.

    No temas.

    Vaya con atención.

- Empleamos el subjuntivo tras la expresión de un verbo de voluntad o deseo, seguido de **que** enunciativo o de la interjección **ojalá**.

    Quiero que comas.

    ¡Ojalá se marche!

Ponga el verbo en la forma adecuada

1. Le pedí que me *(subir)* _____ el sueldo; ni me hizo caso.

2. Sentí mucho que os *(marchar)* _____ enseguida.

3. Parece como si ella *(estar)* _____ enfadada.

4. El viaje dependerá de lo que él *(decidir)* _____.

5. Deseaba que su hijo *(ser)* _____ piloto.

6. Sería inútil que tú lo *(intentar)* _____.

7. No puede ser que ellos *(acabar)* _____ tan pronto.

8. Salid para que no *(llegar tarde, vosotros)* _____ al concierto.

9. Confío en que ellos *(atender)* _____ las indicaciones del entrenador.

10. Diga lo que *(decir, él)* _____, nunca llevará la razón.

Esquema Gramatical 2

El subjuntivo

Presente

• Expresa tiempo presente y futuro.

> *Espero que te quedes.*
> *Es posible que vaya mañana a tu casa.*

• Las formas del presente precedidas del adverbio **no** toman valor de mandato.

> *No vengas.*
> *No creas que eres el único.*

• Las formas de primera persona del plural y tercera del singular y del plural se utilizan también como formas del imperativo.

> *¡Vengan todos!*
> *¡Trabajemos juntos en favor de la paz!*

Pretérito imperfecto

• Temporalmente puede indicar presente, pasado y futuro, dentro de unos límites muy amplios.

> *En este momento, si no te dijera la verdad, te enfadarías.*

• Con los verbos *querer*, *deber* y *poder* toma el valor de cortesía.

> *Quisiera pedirle un favor.*

• La aparición del imperfecto depende de la forma del verbo principal.

> *Me aconsejaron que estudiara.*
> *Me aconsejaban que estudiara.*
> *Me aconsejarían que viniera.*
> *Me habían aconsejado que viniera.*

2 Ponga el verbo en la forma adecuada

1. No esperábamos que (firmar, nosotros) _____ este año el tratado.

2. No sospeché que él (lanzarse) _____ en paracaídas.

3. Aunque (molestarle) _____, tome la medicina.

4. No me habría imaginado que (saber, ella) _____ la verdad.

5. Sería necesario que (recordar, nosotros) _____ el pasado.

6. Te puse la televisión para que (ver) _____ la retransmisión.

7. El miércoles podríamos quedar para que (analizar, nosotros) _____ la situación.

8. No creo que ellos (llegar) _____ puntualmente.

9. ¿Le pedirías que te (ayudar) _____?

10. Dudo que (poder, yo) _____ atravesar el Atlántico en tales circunstancias.

Esquema Gramatical 3

El subjuntivo

Pretérito perfecto

• Expresa una acción acabada, realizada en un tiempo pasado o futuro.

Cuando hayas vuelto del viaje, avísame.

Pretérito pluscuamperfecto

• Expresa acción acabada, realizada en un tiempo pasado para el hablante.

Si hubieras salido a tiempo, no te habría ocurrido lo que te ocurrió.

• La aparición del pluscuamperfecto depende de la forma del verbo principal.

No pensaba que hubiera/se podido llegar.

3 Ponga el verbo en la forma adecuada

1. Habrían conseguido el triunfo si (asimilar) _____ las consignas del entrenador.

2. Aunque ellos (vencer) _____, la moral de nuestro equipo está muy alta.

3. Actúa como si (ser) _____ la reina del lugar.

4. Aunque me lo (pedir, ella) _____, no se lo resolvería.

5. No creía que la situación (empeorar) _____ tanto en estos últimos días.

6. Apenas me (instalar) _____ en el hotel, bajaré a saludarte.

7. No desearía que ellos (encontrar) _____ las mismas dificultades que yo.

8. Por mi gusto, yo (estudiar) _____ Derecho.

9. No me importa quien lo (decir) _____.

10. Es posible que la situación (cambiar) _____.

Esquema Gramatical 4

Correspondencia de los tiempos del subjuntivo con los del indicativo

	Indicativo	Subjuntivo
Creo que...	viene Juan. vendrá Juan.	No creo que venga Juan.
Creo que...	ha venido Juan. habrá venido Juan.	No creo que haya venido Juan.
Creí que...	llegaba Juan.	No creí que...
Creía que...	llegaría Juan.	No creía que... → llegara Juan. llegase Juan.
Creo que...	llegó Juan.	No creo que...
Creía que...	había llegado Juan habría llegado Juan.	No creía que... → hubiera llegado. hubiese llegado.

4 Conjugue estos verbos en el tiempo y modo más apropiados

Desde que _____ (tener) uso de razón el pobre Fernando no _____ (oír) en su casa otra cosa sino hablar de la tía Adela, la millonaria.

–Cuando ella _____ (morir), tú _____ (ser) el heredero de todos sus millones que _____ (ser) muchos –le _____ (susurrar) la primera vez que le _____ (llevar) a verla a su palacio de la Castellana. _____ (ser) un crío de unos cinco años y _____ (salir) deslumbrado de tan lujosa mansión. Todo lo _____ (mirar) asustado el pobre hijo.

–¿_____ (preocuparse) de educarle en el santo temor de Dios? –les _____ (preguntar) a sus padres tía Adela.

–Sí –_____ (responder) la madre del niño.

–Que lo importante _____ (ser) que _____ (salvar) su alma.

–Claro, claro –_____ (reforzar) el padre, adulón.

Le _____ (hacer) una carantoña al chico y le _____ (dar) cinco duros.

–_____ le (comprar) una hucha y que _____ (aprender) a ahorrar.

Y se la _____ (comprar). El chico _____ (venir) grandullón y lo primero que _____ (aprender) de los amigos golfillos con los que se _____ (reunirse) _____ (ser) a fumarse todas las colillas que _____ (encontrar).

–Porque el día que _____ (morir) tu tía Adela todos los millones de ella _____ (ser) para ti.

Pero se lo _____ (repetir) tanto su madre y su padre que el crío un día _____ (exclamar):

–Pues no _____ (saber) qué _____ (hacer) que no se _____ (morir).

–Eso, aunque lo _____ (pensar), no _____ (deber) salir de tu boca –le _____ (reprender) el padre y el chico _____ (irse) a la calle a seguir buscando colillas.

JUAN A. DE ZUNZUNEGUI (1901-1982), *Murió en un córner*

El fútbol

201

Expresiones con "dar"

Dar algo por sentado.

Dar carta blanca.

Dar de lado.

Dar el do de pecho.

Dar en el clavo.

Dar gato por liebre.

Dar la callada por respuesta.

Dar la cara.

Dar la lata.

Dar la talla.

Dar la vuelta a la tortilla.

Dar palos de ciego.

Dar rienda suelta.

Dar sopas con honda.

5 Explique el significado de las siguientes expresiones

1. Antes, la oposición prometía muchas cosas, pero ahora que *ha dado la vuelta a la tortilla* y está en el poder, ha olvidado sus promesas.

2. Todos creían que era tonto, pero él *les dio sopas con honda* haciendo el mejor examen.

3. Para conseguir nuestros objetivos, tendremos que *dar el do de pecho*.

4. Es un hombre de poco fiar. Cada vez que puede, *da gato por liebre*.

5. Déjame en paz y no me *des* más *la lata*.

6. Le hemos *dado carta blanca* para que haga todo lo que crea más conveniente.

7. Es muy buena persona, pero como político no *da la talla*.

8. *Dimos por sentado* que el acusado sería declarado inocente.

9. Hasta que no nos den unas normas concretas de actuación, estaremos *dando palos de ciego*.

10. Te felicito porque has *dado en el clavo*.

Ejercicio de entonación

Fernando: *(Triste)* ¡Mariana!, ¿no quieres que hable contigo? ¡Dime!

Mariana: ¡Pedro! ¿Dónde está Pedro? ¡Dejadlo entrar, por Dios! ¡Está abajo, en la puerta! ¡Tiene que estar! ¡Que suba! Tú viniste con él, ¿verdad? Tú eres muy bueno. Él vendrá muy cansado, pero entrará enseguida.

Fernando: Vengo solo, Mariana. ¿Qué sé yo de don Pedro?

Mariana: ¡Todos deben saber, pero ninguno sabe! Entonces, ¿cuándo viene para salvar mi vida? ¿Cuándo viene a morir, si la muerte me acecha? ¿Vendrá? Dime, Fernando. ¡Aún es hora!

Fernando: *(Enérgico y desesperado, al ver la actitud de Mariana)*. Don Pedro no vendrá, porque nunca te quiso, Marianita. Ya estará en Inglaterra con otros liberales. Te abandonaron todos tus antiguos amigos. Solamente mi joven corazón te acompaña. ¡Mariana! ¡Aprende y mira cómo te estoy queriendo!

FEDERICO GARCÍA LORCA (1898-1936), *Mariana Pineda*

La saeta

¿Quién me presta una escalera
para subir al madero,
para quitarle los clavos
a Jesús el Nazareno?

(Saeta popular)

¡Oh, la saeta, el cantar
al Cristo de los gitanos,
siempre con sangre en las manos,
siempre por desenclavar!

¡Cantar del pueblo andaluz,
que todas las primaveras
anda pidiendo escaleras
para subir a la cruz!

¡Cantar de la tierra mía,
que echa flores
al Jesús de la agonía,
y es la fe de mis mayores!

¡Oh, no eres tú mi cantar!
¡No puedo cantar, ni quiero
a ese Jesús del madero,
sino al que anduvo en la mar!

ANTONIO MACHADO (1875-1939),
Antología Poética

Semana Santa en Sevilla

Semana Grande, y diferente, en cada una de las Españas. La Semana Santa de Sevilla es el paganismo bautizado —concepto válido para todas las semanas santas andaluzas—, donde al paso de las imágenes se cantan saetas por martinetes. La Semana Santa se vive y se siente, porque los hombres pertenecen a alguna Cofradía y porque el pueblo se lanza a la calle para ver, oír y rezar.

Es un espectáculo inacabable: años y años y siempre es distinta; no es lo mismo estar sentado en la carrera oficial que asistir a la salida de los pasos en ese alarde de potencia, ligereza y sacrificio de los costaleros, para que los varales no rocen con la piedra del pórtico; o contemplar los pasos en el revolver de una calleja típica, al cruzar sobre un puente, al reflejarse en el agua,

al caminar debajo de un arquillo, con un fondo de rejas y ventanas, de jardines, de palmeras, de murallas o cuando una Virgen es mecida al llegar a su templo. Años y años y siempre será el primer día.

La atmósfera se carga de olor a primavera, a incienso, a cera, a azahar, y desde el Domingo de Ramos hasta el Sábado Santo hacen estación de penitencia en la Catedral cincuenta y dos cofradías —las más antiguas del siglo XVI, las más modernas de 1955 y 1956— que portan 100 pasos, de los cuales 43 son Vírgenes con palio, 2 sin palio, 31 pasos de misterio, 15 crucificados y 9 nazarenos.

MANUEL BENDALA LUCOT, *Sevilla*

El fútbol

¿Hablamos? / Hablemos

El fútbol, deporte de masas. ¿A ti te gusta? Es un deporte colectivo y aburrido; es un deporte apasionante. ¿Tienes algún ídolo? ¿Has jugado alguna vez?

Recordamos pautas conversacionales

– Los conectores que unen a un miembro anterior con otro con su misma orientación son: *además, encima, aparte, por añadidura, incluso / inclusive, es más…*

– Los conectores consecutivos conectan un consecuente con su antecedente: *por tanto, por consiguiente, por ende, en consecuencia, de ahí, entonces, pues, así, así pues…*

– Los conectores contraargumentativos eliminan alguna de las conclusiones que pudieran inferirse de un miembro anterior: *en cambio, por el contrario, por contra, antes bien, sin embargo, no obstante, con todo…*

Sobrevivir en los primeros años del siglo XXI

Si el tráfico y el ruido de la gran ciudad están diezmando su salud mental, puede que salude con optimismo la aparición de los "rurbain", palabra con la que los franceses denominan a aquellos que, viviendo en un entorno rural, se ganan el sueldo en la ciudad sin moverse de casa. De prevalecer esta tendencia, en los primeros años de este siglo menos de la mitad de la población activa gozará de un puesto de trabajo fijo a plena dedicación (frente a los dos tercios de hoy en día). Utilizando sus hogares como base de operaciones, las personas tenderán a buscar clientes en vez de trabajo.

El no tener jefe y con la oficina a tiro de piedra de su sofá favorito pueden inducirle a pensar que se encuentra en el umbral de la tan anunciada sociedad del ocio. Según un estudio realizado por una compañía especializada en estudios de gestión de tiempo, desde 1973 el tiempo dedicado al trabajo ha aumentado en un 20%, siendo los más afectados por el cambio los pequeños empresarios, directivos y profesionales liberales. Paradójicamente, en un momento en que se espera conquistar menos horas laborales, parece que la realidad se acerca a la reconquista de las 50 horas semanales.

Si cree que estas cifras explican, por lo menos, el tremendo cansancio con que saluda la nueva década, no cante aún victoria. Tal vez sea usted víctima de lo último en microbios, el *síndrome de fatiga crónica*, un virus que causa una aguda sensación de cansancio físico y mental durante meses y que se suele confundir con cuadros depresivos. Según las primeras estimaciones, la enfermedad tiene especial incidencia en los jóvenes y en particular en las mujeres. Lo cual no es de extrañar, pues la mujer tiene aún las de perder en el reparto de las tareas. Además de sus obligaciones laborales, sigue llevando el peso de la casa.

Sin embargo, las tareas del hogar se van a ver aliviadas ya que cada vez aumenta el número de parejas que deciden voluntariamente no tener hijos. Y es que tener hoy en día un hijo en una gran ciudad no es una decisión que se pueda tomar a la ligera. Para aquellos que desean ascender en la escala corporativa o en los negocios, la dedicación exigida es tan envolvente que deja poco lugar para la atención y cuidado de los niños. Esta decisión es de especial significancia para la mujer, para quien un embarazo supone un paréntesis obligado de su puesto de trabajo, además de realizar un mayor esfuerzo en el hogar.

Por otro lado, si le toca jubilarse ahora, puede regocijarse, porque el futuro le sonríe. La evolución de las fuerzas demográficas en los países industrializados va a permitirle optar a un protagonismo hasta ahora desconocido. Según datos de las Naciones Unidas, en el primer cuarto de siglo, la proporción del segmento de población de edad superior a los 50 años va a aumentar sustancialmente. Las implicaciones políticas son obvias, forzando una mayor atención y recursos a los problemas de la tercera edad por parte de los gobernantes.

Preguntas

1. ¿Qué tendencia se está imponiendo últimamente en el mundo laboral?
2. ¿Qué profesiones no disfrutan de una reducción de horas laborales? ¿En qué profesiones ha aumentado el número de horas de trabajo?
3. ¿En qué consiste el síndrome de fatiga crónica y quiénes son los más afectados?
4. ¿Por qué deciden muchas parejas no tener hijos?
5. ¿Qué segmento de la población aumentará sustancialmente en el primer cuarto de siglo y qué consecuencias tendrá este aumento?

Esquema Gramatical 1

Usos del imperativo

- Expresa **ruego, mandato,** intensificación de la exhortación.

    ¡Salid de aquí!

- Las formas de la primera persona del plural y tercera del singular y plural, aunque expresan órdenes, no pertenecen al imperativo, sino al presente del subjuntivo.

    ¡Salgamos!
    ¡Salga usted!   ¡Que venga Luis inmediatamente!
    ¡Salgan ustedes!   ¡Que los niños no hagan ruido!

- No tiene primera persona del singular.

- En la negación, el imperativo utiliza las formas del presente de subjuntivo.

    ¡Salid!   ¡No salgáis!

- El infinitivo precedido de la preposición *a* adquiere valor de imperativo.

    ¡A salir!

- No es correcto usar el infinitivo en lugar del imperativo.

    ¡~~Callar~~!   ¡Callad!

1 Emplee la forma adecuada. Construya la forma negativa del imperativo

(Hablar) _____ vosotros.

–¡**Hablad!**
–**No habléis.**

1. *(Ir)* _____ (tú) al cine mañana. – _____
2. *(Andar)* _____ (vosotros) con cuidado. – _____
3. *(Salir)* _____ él por esta puerta. – _____
4. *(Venir)* _____ aquí (vosotros). Estáis castigados. – _____
5. *(Beber)* _____ (ellos) hasta emborracharse. – _____
6. *(Escuchar)* _____ (vosotros). Es interesante. – _____
7. *(Decir)* _____ (tú) todo lo que sabes. – _____
8. *(Entrar)* _____ (ellos) despacio. – _____
9. *(Subir)* _____ usted primero. – _____
10. *(Bajar)* _____ ustedes pronto. – _____

Esquema Gramatical 2

Usos de se

- Pronombre personal.

  *Entregó el **libro** a **Juan** – **Se** lo entregó (a él). (A Juan) **Se** lo entregó.*

  *Ve a entregarle (a Juan) el paquete – Ve a entregár**se**lo.*

- Pronombre reflexivo.

  El sujeto a la vez ejecuta y recibe la acción del verbo.

  *Pedro **se** lava (lavarse).*

- El sujeto no ejecuta directamente la acción, sino que interviene en la acción que otro realiza.

  *Pedro **se** construyó un chalé.*

- Pronombre recíproco.

  Los sujetos ejecutan y reciben la acción.

  *Pedro y Juan **se** saludan.*

- Pasiva refleja.

  ***Se** alquilan habitaciones.*

- Forma impersonal.

  Se omite el sujeto.

  ***Se** dice…*

  ***Se** cuenta…*

2 Siga el modelo

Juan prestó el coche a Pedro.   *–Se lo prestó.*

1. El profesor corrige la traducción a los alumnos.   –_____

2. Ven y explica a papá lo que has hecho.   –_____

3. Enseña la casa a los invitados.   –_____

4. Ve y di a mamá que estoy en el coche.   –_____

5. Explica la lección a sus compañeros.   –_____

6. Pon las botas al niño.   –_____

7. Enseña a tu amigo los regalos de Reyes.   –_____

8. Lee los acuerdos a los compañeros.   –_____

9. Aplicad el descuento a los alumnos.   –_____

10. Decid a todos lo que ha ocurrido.   –_____

3 Siga los modelos, según convenga

La lección fue explicada a los niños. —Se explicó la lección a los niños.
En invierno, me lavo con agua caliente. —En invierno, se lava con agua caliente.

1. La noticia fue divulgada por la radio. —_____

2. Las casas fueron construidas con dinero del Estado. —_____

3. Me quito el sombrero al entrar. —_____

4. Nos vamos en el tren de París. —_____

5. Los embajadores son recibidos en el Palacio Real. —_____

6. Me pongo las botas los días de lluvia. —_____

7. Nos quedamos en casa viendo la televisión. —_____

8. El presidente fue elegido por aclamación popular. —_____

9. Me canso de esperar tanto tiempo. —_____

10. Los viajeros fueron atendidos en la estación. —_____

Esquema Gramatical 3

Raíces sufijas

-algia:	dolor	*neuralgia*
-cefalia, -céfalo:	cabeza	*bicéfalo*
-cracia, -crata:	gobierno	*demócrata*
-cronía:	tiempo	*sincronía*
-filia, -filo:	amistad	*filántropo*
-fobia, -fobo:	enemistad	*xenófobo*
-fonía, -fono:	sonido	*teléfono*
-grafía, -grafo:	trazado, escritura	*sismógrafo*
-iatría, -iatra:	medicina	*pediatra*
-logía, -logo:	estudio	*filólogo*
-tomía:	división	*dicotomía*
-voro:	que activa	*carnívoro*

Abreviaturas más usadas

admón.	administración	**imp.**	imprenta
afmo.	afectísimo	**izq.**	izquierdo/a
art.	artículo	**Lic.**	licenciado/a
c/c, cta. cte.	cuenta corriente	**p. ej.**	por ejemplo
Cía.	compañía	**pág.**	página
D.	don	**Prof., Prof.ª**	profesor/a
D.ª	doña	**pról.**	prólogo
dcha.	derecha	**S. A.**	Sociedad Anónima
descto.	descuento	**S. L.**	Sociedad Limitada
Dr.	doctor	**Sr.**	señor
Dr.ª	doctora	**Sr.ª**	señora
Em.ª	Eminencia	**Srt.ª**	señorita
Exc.ª	Excelencia	**Ud.**	usted
Excmo., Excma.,	Excelentísimo/a	**Uds.**	ustedes
fol.	folio	**V.º B.º**	visto bueno
Gral.	general	**vol.**	volumen
Ilmo., Ilma.	Ilustrísimo/a		

Expresiones con "poner"

Poner a alguien de vuelta y media.	Poner pies en polvorosa.
Poner a alguien en su sitio.	Poner tierra por medio.
Poner a alguien por las nubes.	Poner toda la carne en el asador.
Poner a alguien verde.	Ponerle puertas al campo.
Poner algo en tela de juicio.	Ponerse a tono.
Poner el cascabel al gato.	Ponerse al frente.
Poner el dedo en la llaga.	Ponerse de mil colores.
Poner el grito en el cielo.	Ponerse las botas.
Poner las cartas boca arriba.	Ponérsele a uno la carne de gallina.
Poner los puntos sobre las íes.	Ponérsele a uno los pelos de punta.

4 Explique el significado de las siguientes expresiones

1. Cuando murió Luis, su hijo *se puso al frente de* los negocios.
2. Cuando no supo qué contestar, *se puso de mil colores*.
3. Al oír la alarma, los ladrones *pusieron pies en polvorosa*.
4. Siempre que habla de su nieto, *lo pone por las nubes*.
5. No le consientas a este empleado tantas familiaridades y *ponle en su sitio*.
6. El estafador *puso tierra por medio* para no ser capturado por la policía.
7. La situación es insostenible y con estas medidas no hacemos más que *ponerle puertas al campo*.
8. En la boda de nuestro amigo, *nos pusimos las botas*.
9. Para conseguir este objetivo, hay que *poner toda la carne en el asador*.
10. Cuando vi esa escena tan macabra, *se me pusieron los pelos de punta*.

5 Utilice la expresión más apropiada

1. Creo que ya es hora de que habléis claro y _____.
2. Todos los críticos _____ al director de la obra.
3. Todos estaban de acuerdo en pedirle al jefe un aumento de sueldo, pero nadie quería _____.
4. Cuando tuvimos que pasar por ese sitio tan peligroso, _____.
5. El director _____ para que no hubiera dudas sobre las medidas tomadas.
6. Al hablar de la falta de comunicación como causa de muchos divorcios, _____.
7. Cuando le dijeron que su hijo tenía que repetir curso por segunda vez, _____.
8. Vamos a tomar unas cuantas copas para _____.
9. Nadie _____ las promesas de este político, porque siempre las cumple.
10. Cuando él abandonó la reunión, todos los demás _____.

Ejercicio de puntuación

Mi familia pertenecía a la clase intelectual húngara mi madre era directora de un seminario femenino donde se educaba la élite de una ciudad famosa cuyo nombre no quiero decirle cuando llegó la época turbia de la posguerra con el desquiciamiento de tronos clases sociales y fortunas yo no sabía qué rumbo tomar en la vida mi familia quedó sin fortuna víctima de las fronteras del Trianón como otros miles y miles mi belleza mi juventud y mi educación no me permitían convertirme en una humilde dactilógrafa surgió entonces en mi vida el príncipe encantador un aristócrata del alto mundo cosmopolita de los «resort» europeos me casé con él con toda la ilusión de la juventud a pesar de la oposición de mi familia por ser yo tan joven y él extranjero.

JULIO CORTÁZAR (1914-1984), RAYUELA.

La prensa sensacionalista

La publicación que ha llevado esta técnica hasta sus límites ha sido Interviú. Junto a Umbral o Vázquez Montalbán figuraron desde el principio columnistas como Yale, Martín-Ferrand; luego Emilio Romero, Vizcaíno Casas. ...Claro, en el caso de esta publicación el montaje no termina aquí. Esto es la cobertura de un producto que responde a las exigencias más rigurosas de lo que en los libros de texto sobre información se califica como periodismo amarillo. Sexo, sensacionalismo, sangre. Todas las eses posibles del mundo en una sola publicación al precio de cualquier otra...

El caso de Interviú es insólito en Europa, en cualquier país civilizado, bien dotado estéticamente... De hecho, no ha existido, quiero decir, un producto de esta índole, con tal aceptación por parte del mundo político, profesional, universitario... Para mí, la aceptación de una revista que ha recurrido a montajes escandalosos, a falsedades, a la grosería sistemática, a la plebeyez, y que, siendo esto así, obtiene una aceptación en el mercado por parte de la llamada clase política, que no tiene reparos en expresarse a través de ella e incluso a dilucidar importantes temas políticos a través de sus páginas, me lleva a una consideración: la bisoñez de nuestros profesionales, la escasa sensibilidad moral y estética de nuestros dirigentes políticos en el poder y fuera del poder.

CÉSAR ALONSO DE LOS RÍOS, Seminarios: ¿para qué?

Ejercicio de entonación

Inteligencia*

¡Inteligencia, dame
el nombre exacto de las cosas!
...Que mi palabra sea
la cosa misma,
creada por mi alma nuevamente.

Que por mí vayan todos,
los que no las conocen, a las cosas;
que por mí vayan todos
los que ya las olvidan, a las cosas;
que por mí vayan todos
los mismos que las aman, a las cosas...

¡Inteligencia, dame
el nombre exacto, y tuyo,
y suyo, y mío, de las cosas!

JUAN RAMÓN JIMÉNEZ (1881-1958)

* Juan Ramón Jiménez siempre escribía con *j*.

Llamo a los poetas

Entre todos vosotros, con Vicente Aleixandre
y con Pablo Neruda tomo silla en tierra;
tal vez porque he sentido su corazón cercano
cerca de mí, casi rozando el mío.

Alberti, Altolaguirre, Cernuda, Prados, Garfias,
Machado, Juan Ramón, León Felipe, Aparicio,
Oliver, Plaja, hablemos de aquello a que aspiramos:
por lo que enloquecemos lentamente.

Hablemos del trabajo, del amor sobre todo,
donde la telaraña y el alacrán no habitan.
Hoy quiero abandonarme tratando con vosotros
de la buena semilla de la tierra.

Si queréis, nadaremos antes en esa alberca,
en ese mar que anhela transparentar los cuerpos.
Veré si hablamos luego con la verdad del agua,
que aclara el labio de los que han mentido.

MIGUEL HERNÁNDEZ (1910-1942)

¿Hablamos? / Hablemos

**¿Cómo te imaginas el final del siglo xxi?
¿Cómo será la vida en las sociedades
desarrolladas? ¿Cómo te ves de viejecito?
Adelántate a la realidad y describe cómo
será la vida diaria de una familia.**

Recordamos pautas conversacionales

– Para aclarar lo que se ha querido expresar en la explicación
anterior, utilizamos: *o sea, es decir, esto es, a saber, dicho
de otro modo, en otras palabras…*

– Para corregir algo de lo dicho anteriormente: *mejor dicho,
mejor aún, más bien, mejor…*

– Para desviar la atención de algo dicho anteriormente: *en cualquier caso, en
todo caso, de todos modos, de todas maneras, de cualquier modo…*

– Para introducir una recapitulación o conclusión de lo dicho anteriormente: *en
suma, en conclusión, en definitiva, en fin, al fin y al cabo, en resumidas
cuentas, a fin de cuentas, total, después de todo…*

Tarde de toros

Las ferias taurinas de Madrid, Sevilla, en la Península, y las de México, Caracas, en Hispanoamérica, pueden ser un buen botón de muestra de la afición hispana al toro, a la fiesta por antonomasia.

En España, la lucha del hombre frente al toro data de su más remota antigüedad, pero fue en el siglo XVIII cuando la fiesta pasó definitivamente al pueblo y en él se fijaron las actuales reglas de la fiesta. No hay feria, por pequeña que sea, ni día festivo significativo, desde la primavera al otoño, que no incorporen a sus festejos las corridas de toros, tanto en los pequeños como en los grandes núcleos urbanos.

Las novilladas, en las que los toros no sobrepasan los tres años y en las que los toreros (novilleros) no han tomado aún la alternativa, como las corridas, tienen lugar en la plaza, coso, que distribuye su aforo en localidades de barrera, contrabarreras, palcos, gradas, andanadas y tendidos. Tradicionalmente, comenzaban y comienzan puntualmente a la taurina hora de las cinco de la tarde.

A la hora en punto, el presidente da la señal de entrada de las cuadrillas al ruedo o albero. En cabeza entran dos alguaciles a caballo, que despejan la plaza, después los maestros o espadas; generalmente son tres los que componen el cartel –terna–, de los que el más antiguo en orden de alternativa ocupa la posición derecha en relación al presidente en el paseíllo; el más joven, el centro, y el segundo en antigüedad, la izquierda; detrás de ellos, sus respectivas cuadrillas (peón de confianza, banderilleros), seguidos de los picadores a caballo y de los monosabios; en último lugar, aparecen las cuadrillas de mulas que se han de encargar del arrastre de los toros camino del desolladero. El desfile acaba con el saludo al presidente y el cambio que los toreros realizan del capote de paseíllo por el de brega. El presidente de la corrida lanza al alguacil, a requerimiento de éste, la llave del toril para que el toro que abre plaza salga, tras el toque de clarines y timbales. El toro porta en sus costillares la divisa, cintas representativas de la ganadería a la que pertenece.

El toro, a su entrada en el ruedo y tras esperar sus derrotes, es recibido con el capote (verónicas), para adecuarlo a las siguientes fases de la lidia: tercio o suerte de varas, tercio de banderillas y, por último, la suerte suprema, la del tercio de muerte, en la que el maestro, provisto de la muleta, ha de desarrollar su talento artístico y seriedad ante la faena, que culmina con la muerte del toro. El inicio de este último tercio de la lidia viene marcado por el brindis, con permiso de la presidencia, en el que el torero brinda la muerte del toro. Si el torero ha realizado una faena meritoria, el público pedirá como premio la oreja del animal (trofeo) que el presidente de la corrida ha de conceder.

Preguntas

1. ¿Qué opinión le merecen las corridas de toros?
2. ¿Están las corridas de toros muy extendidas por el mundo hispano?
3. El origen de la fiesta de los toros, ¿es antiguo o moderno?
4. ¿En qué se diferencian las novilladas de las corridas de toros?
5. ¿Es el toro un animal bravo?

Esquema Gramatical 1

Verbos + preposición

a	con	de
adaptarse	acabar	acordarse
adherirse	acordar	acusar
afectar	comenzar	constar
aficionar (se)	contar	defender (se)
aprender	continuar	diferenciar (se)
comenzar	cumplir	fiarse
empezar	empezar	informar (se)
ir	enfadarse	hablar
jugar	entenderse	ocuparse
llegar	hablar	padecer
obligar	romper	preocuparse
ponerse	pactar	proteger (se)
referirse	terminar	reclamar
renunciar		sacar
volver		salir
		sufrir
		tratar
		tratarse

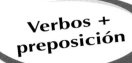
Verbos + preposición

en	por	sobre
ahondar	atravesar	discutir
basarse	cambiar	escribir
confiar	comprar	hablar
creer	enfadarse	informar (se)
entrar	estar	triunfar
esforzarse	hablar	
especializarse	interesarse	
exceder	luchar	
hablar	pasar	
pensar	preguntar	
profundizar	tomar	
	vender	

1 Utilice la preposición más apropiada

1. Él me ha vendido el libro _____ tres euros.
2. Espero que volvamos _____ vernos pronto.
3. Quiero hablar _____ vosotros _____ este asunto.
4. La comida ya está preparada. Podemos empezar _____ comer.
5. ¿_____ qué te basas para defender su inocencia?
6. No te olvides _____ apagar la luz cuando salgas _____ casa.
7. No me acuerdo _____ lo que pasó. Tengo muy mala memoria.
8. Mi abuelo padece _____ corazón.
9. Esta obra consta _____ dos partes.
10. Él se ha aficionado _____ fotografía.

2 Utilice el verbo más apropiado entre los que se ofrecen

renunciar, padecer, esforzarse, reclamar, terminar, entrar, ir, obligar, preguntar, atravesar, tratar, profundizar, acusar, contar.

1. Gran parte de la humanidad _____ hambre y habría que _____ de los gobiernos de las grandes potencias una mayor solidaridad con los países tercermundistas.
2. Tenemos que _____ en este problema para _____ de buscar una solución rápida, pero para ello hay que _____ con la colaboración de todas las fuerzas políticas.
3. Tanto los empresarios como los sindicatos _____ en llegar a un acuerdo satisfactorio para poder solucionar la difícil situación económica _____ la que _____ el país.
4. La oposición _____ ayer al gobierno _____ realizar una política partidista y le _____ por las medidas que se _____ a tomar en el futuro para poder _____ con el paro que afecta ya a un 15% de la población trabajadora.
5. Ayer _____ en vigor la nueva ley de incompatibilidades que _____ a los diputados _____ dedicarse plenamente a la política y a _____ a cualquier otro trabajo remunerado.

Esquema Gramatical 2

Los numerales

1. Cardinales y ordinales:

- Los ordinales *(primero, segundo, tercero…)* no pueden ser sustituidos por los cardinales *(uno, dos, tres…)* hasta el noveno incluido.

  > *En la primera sesión hubo poca gente.*

- A partir de décimo pueden emplearse los cardinales en lugar de los ordinales. En este caso, es admisible la anteposición.

  > *Capítulo duodécimo/Capítulo doce.*
  > *El veintiocho festival internacional.*

2. Partitivos:

- Indican la parte de un todo: 1/2, *un medio;* 1/3, *un tercio;* 1/4, *un cuarto;* 1/5, *un quinto,* etcétera.

  > *Quiero un cuarto de kilo de queso.*
  > *Un tercio de la clase participó en la excursión.*

- Es frecuente el uso de las perífrasis *la mitad de, la tercera parte de,* etcétera.

  > *Me han descontado la cuarta parte del sueldo.*

3. Multiplicativos:

- Indican idea de colectividad en una cantidad determinada: *doble, triple, cuádruple,* etcétera.

  > *Tenía tanta hambre que he comido doble ración de pollo.*

- Son mucho más frecuentes las perífrasis:

  > *dos*
  > *tres*   *veces mayor/más que…*
  > *cuatro*
  > *Él trabaja cuatro veces más que tú.*

4. Sustantivos colectivos relacionados con los números:

a) Sin especificar: *unidad, par/pareja, trío, decena, docena, quincena, veintena, centena/centenar, millar, millón, billón.*

  > *Un millar de personas se manifestó contra el paro.*

b) Grupos de años: *bienio, trienio, cuatrienio, quinquenio, lustro, decenio, siglo, milenio.*

  > *En el último decenio se han hecho grandes progresos en este campo.*

1. Esta iglesia se empezó a construir en el siglo _____ *(IX)*.

2. El niño se comió _____ *(1/2)* naranja.

3. Un _____ *(1/3)* de los trabajadores está en contra de la huelga.

4. Más de un _____ *(1.000)* de personas participó en la manifestación.

5. Ella es la _____ *(1.ª)* de la clase.

6. Alfonso _____ *(VI)* sufrió en 1083 una gran derrota frente a los almorávides.

7. Quiero comprarme un bolso y un _____ *(2)* de zapatos.

8. ¿Cuánto cuesta _____ *(1/2)* kilo de pasteles?

9. Compra _____ *(3/4)* de carne de ternera.

10. La oficina está en el _____ *(5.º)* piso, _____ *(4.ª)* puerta.

Adjetivos gentilicios

Recuerde

Designan a los habitantes de un país, de una ciudad o región, o a los grupos raciales, políticos, religiosos...

-aco: polaco, austríaco	**-ético**: helvético, bético
-án: catalán, alemán, musulmán	**-í**: marroquí, iraní
-ano: asturiano, italiano, cristiano	**-io**: canario, sirio
-avo: moldavo	**-ino**: neoyorquino, alicantino
-eno: chileno, sarraceno	**-ita**: israelita, sefardita
-ense: almeriense, tarraconense	**-ol**: español, mongol
-eño: madrileño, puertorriqueño	**-ota**: chipriota, cairota
-és: inglés, japonés	**-ú**: bantú, hindú

Atención

Algunos nombres de países y ciudades en español:

Múnich (München)	*Londres* (London)
Tejas (Texas)	*Inglaterra* (England)
Nueva York (New York)	*Friburgo* (Fribourg)
Milán (Milano)	*Túnez* (Tunicia)

4 Forme el adjetivo gentilicio

1. Los carnavales _____ (Brasil) son célebres en el mundo entero.

2. El gobierno _____ (Marruecos) espera llegar a un acuerdo con los _____ (Sáhara).

3. Muchos _____ (Mahoma) acuden todos los años a la Meca para rezar.

4. La cerámica _____ (Almería) utiliza unos colores muy vivos.

5. La vida _____ (Nueva York) es muy alegre.

6. Los primeros _____ (Cristo) vivían en catacumbas.

7. Los tomates _____ (Canarias) son pequeños, pero muy dulces.

8. Tengo muchos amigos _____ (Panamá).

9. ¿Te gusta la jota _____ (Aragón)?

10. Las autoridades _____ (Moscú) no han hecho ninguna declaración oficial.

Atención

Regularización de nombres extranjeros:

	Singular	Plural
film	film**e**	film**es**
cabaret	cabar**é**	cabar**és**
chalet	chal**é**	chal**és**
carnet	carn**é**	carn**és**
complot	compl**ó**	compl**ós**
cock-tail	cóct**el**	cóct**eles**
clown	clon	clon**es**
slogan	**e**slogan	**e**slógan**es**

5 Utilice los siguientes sustantivos

carné, cóctel, eslogan, chalé, cabaré, compló, clon, güisqui, filme

1. Para viajar por varios países europeos sólo es necesario el _____ de identidad.

2. Ellos pasan los fines de semana en el _____ que tienen en la sierra.

3. Se ha descubierto un _____ militar para derrocar al gobierno legalmente establecido.

4. Él conoció a su mujer en un _____ que dio la embajada alemana.

5. En París fuimos a un _____ famoso por sus variedades musicales.

6. Los partidos políticos utilizan muchos _____ en sus campañas electorales.

7. Charlie Rivel fue un _____ mundialmente famoso.

8. Por favor, sírvame un _____ con hielo.

9. Estuvimos viendo unos _____ muy interesantes de Buñuel.

10. El pasado fin de semana hicimos noche en el _____ de la sierra.

Expresiones taurinas

Cambiar de tercio.	Hacer novillos.
Coger el toro por los cuernos.	Hacer una buena/mala faena.
Darle a alguien la puntilla.	Pillar el toro.
Echarle a alguien un capote.	Ponerse el mundo por montera.
Estar al quite.	Torear al alimón.
Estar para el arrastre.	Ver los toros desde la barrera.

6 Explique el significado de las siguientes expresiones

1. La situación es ya tan insostenible que hay que *coger el toro por los cuernos* y resolver el problema.

2. Si él no me hubiera *echado un capote*, no habría podido terminar el trabajo a tiempo.

3. Todo tiene que estar listo para las ocho en punto, así que si no nos damos prisa, *nos va a pillar el toro*.

4. Tú no has estado enfermo. *Has hecho novillos*.

5. Hoy he tenido mucho trabajo y ahora mismo *estoy para el arrastre*.

6. Es muy cómodo no querer complicarse la vida y *ver siempre los toros desde la barrera*.

7. ¡No te preocupes! Este asunto *lo torearemos al alimón*.

8. ¡No tengáis miedo! Si la situación se complica, nosotros *estaremos al quite*.

9. A él nunca le ha importado la opinión de los demás, pues siempre *se ha puesto el mundo por montera*.

10. ¡No hablemos más de este tema y *cambiemos de tercio*!

Esquema Gramatical 3

Locuciones, adverbios, frases prepositivas utilizadas como incisos en el discurso oral o escrito

1. Ordenación / Numeración:

Ante todo	En lo que concierne a
Por de pronto	Por lo que se refiere a
En primer / segundo lugar	Por una parte… por otra
En cuanto a	Por último / finalmente

2. Demostración:

Efectivamente / en efecto	Desde luego
Por supuesto	Lo cierto / la verdad es que
Ciertamente	Sin duda (alguna)

3. Restricción / Atenuación:

Sin embargo	*A fin de cuentas*
Aun así	*Es verdad que*
A pesar de ello	*Ahora bien*
Al fin y al cabo	*En cambio*

4. Adición:

Además	*Cabe añadir*
Asimismo	*Algo parecido / semejante ocurre con*

5. Consecuencia:

Así pues	*De ahí que*
Por (lo) tanto	*Por ende*
Por consiguiente	*De modo que*

6. Opinión:

En mi opinión	*En mi criterio*
A mi modo de ver	*A juicio de*
A mi entender / parecer	*Según*

7. Resumen:

En suma	*En resumen*
En una palabra	*En resumidas cuentas*
En fin	*Total*

El alma de los brutos

Siempre he pensado que el gran error de los anti-taurinos es que acuden al trapo como los «victorinos»: con demasiada nobleza y un punto de entrañable mansedumbre en la embestida. En un país como éste, en el que, desde siempre, se ha tenido por costumbre apedrear a los gatos callejeros (como antaño a las adúlteras) para divertimento de las almas infantiles, inaugurar las fiestas patronales de la aldea arrojando una cabra al vacío desde lo alto del campanario o pasaportar a mejor vida al propio perro con la azada o colgándole de un árbol, socavar los cimientos ancestrales de la fiesta exige mucho más que una buena dosis de buena voluntad y de franciscanismo ecologista. Los taurinos conocen bien sus armas, disfrutan la ventaja de jugar en campo propio y, por si fuera poco, en los últimos años, la moda de España ha llenado las plazas de toros de modernos y de intelectuales.

(…) Pero los modernos españoles no son nada sin los intelectuales. Los modernos españoles, como los nuevos ricos, tienen mala conciencia y necesitan, en el fondo, que alguien piense por ellos y salga en su defensa cuando algún miserable como yo les recuerde, por ejemplo, no sólo que la fiesta es un ritual sangriento y prehistórico (retóricas al margen), sino, también –y eso es mucho más grave–, que la mayor parte de ellos no había visto nunca una corrida hasta hace solamente un par de años. Para explicar todo eso, para justificarlo, los modernos españoles necesitan, aunque nunca los lean, a los intelectuales.

JULIO LLAMAZARES (1955-)

Ejercicio de acentuación

–No lo puedo evitar, abuela... perdon. La primera vez, fue culpa mia: me lo aposte con el... Pero las otras... ¡Perdoname, abuela, he sufrido tanto! ¡Dios mio, lo he pagado tan caro! Me tenia en sus manos, me amenazaba con venir a decirtelo si no le entregaba mas y mas... Yo no queria, pero el decia que si no continuabamos me delataria... Era horrible. No podia vivir. Y es que el tenia que reunir dinero, decia que para comprarse una barca y marcharse a las islas griegas. ¡Esta loco, si, loco! Nunca podras –le decia yo–. Estan muy lejos. Pero el contestaba que eran pretextos para no darle mas dinero... Es un diablo, igual que un diablo... Me pegaba si no le obedecia... ¡Es mucho mas fuerte que yo!

ANA MARÍA MATUTE (1926-), *Primera Memoria*

Ejercicio de entonación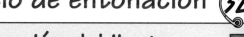

Canción del jinete

Córdoba.
Lejana y sola.

Jaca negra, luna grande,
y aceitunas en mi alforja.
Aunque sepa los caminos
yo nunca llegaré a Córdoba.

Por el llano, por el viento,
jaca negra, luna roja.
La muerte me está mirando
desde las torres de Córdoba.

¡Ay qué camino tan largo!
¡Ay mi jaca valerosa!
¡Ay que la muerte me espera,
antes de llegar a Córdoba!

Córdoba.
Lejana y sola.

FEDERICO GARCÍA LORCA (1898-1936)

La fiesta de toros

¿Hablamos? / Hablemos

La fiesta de los toros es controvertida: unos están a favor y otros en contra. Opiniones. Describe las fiestas tradicionales que más te gusten. Cuenta alguna fiesta tradicional que hayas presenciado.

Recordamos pautas conversacionales

– En la conversación, en enunciados declarativos: *claro, desde luego, por lo visto…, en efecto, por supuesto, sin duda…*

– Para indicar actitudes volitivas del hablante: *bueno, bien, vale, de acuerdo.*

– Para expresar la posición del hablante en el discurso frente al oyente: *hombre, bueno, mira, oye, vamos, mire, oiga…*

– Para mantener o alternar los turnos de palabra: *bueno, eh, ya, si, bien, este…*

Apéndice gramatical

Alfabeto árabe

Nombre	Figura				Sonido	Transcripción
	Inicial	Medial	Final	Aislada		
ʾAlif			ا	ا	Ataque vocálico fuerte. Explosión en la laringe.	ʾ
Bāʾ	ب	ـبـ	ـب	ب	B	b
Tāʾ	ت	ـتـ	ـت	ت	T	t
Ṯāʾ	ث	ـثـ	ـث	ث	*Th* inglesa o *Ø griega*.	ṯ
Ŷim	جـ	ـجـ	ـج	ج	*J* francesa.	ŷ
Ḥāʾ	حـ	ـحـ	ـح	ح	Aspirada sorda, emitida con la laringe.	ḥ
Jāʾ	خـ	ـخـ	ـخ	خ	J	j
Dāl			ـد	د	D	d
Ḏāl			ـذ	ذ	griega.	ḏ
Rāʾ			ـر	ر	R	r
Zāy			ـز	ز	*S* sonora.	z
Sīn	سـ	ـسـ	ـس	س	*S* sorda.	s
Šīn	شـ	ـشـ	ـش	ش	*Ch* francesa.	š
Ṣād	صـ	ـصـ	ـص	ص	Aspirada dental sorda enfática.	ṣ
Ḍād	ضـ	ـضـ	ـض	ض	Oclusiva dental sorda enfática.	ḍ
Ṭāʾ	طـ	ـطـ	ـط	ط	Oclusiva dental sorda enfática	ṭ
Ẓāʾ	ظـ	ـظـ	ـظ	ظ	Oclusiva dental sonora enfática.	ẓ
ʿAyn	عـ	ـعـ	ـع	ع	Aspirada sonora, emitida con la laringe comprimida.	ʿ
Gayn	غـ	ـغـ	ـغ	غ	*G* española ante a, o, u	g
Fāʾ	فـ	ـفـ	ـف	ف	F	f
Qāf	قـ	ـقـ	ـق	ق	Gutural oclusiva postvelar sorda.	q
Kāf	كـ	ـكـ	ـك	ك	K	k
Lām	لـ	ـلـ	ـل	ل	L	l
Mīm	مـ	ـمـ	ـم	م	M	m
Nūn	نـ	ـنـ	ـن	ن	N	n
Hāʾ	هـ	ـهـ	ـه	ه	*H* aspirada andaluza.	h
Wāw			ـو	و	W	w
Yāʾ	يـ	ـيـ	ـي	ي	Y	y

Sistemas de transcripción fonológica del ruso

Letra rusa	A. C. de la URSS	ISO	ASA BSI	CALONGE	SÁNCHEZ PUIG
a	a	a	a	a	a
б	b	b	b̄	b	b
в	v	v	v	v	v
г	g	g	g	g	g(u)
д	d	d	d	d	d
e	e - tras cons. je - inicial, tras vocal, tras Ъ, Ь	e	e	e	e - tras cons. ie - tras vocal, Ъ, Ь ye - inicial
ё	'o - tras cons., exc. ж, ч, ш, щ jo - inicial, tras vocal, tras Ъ, Ь o - tras ж, ч, ш, щ	ë	ë	ë	o - tras ж, ч, ш, щ io - tras cons., vocal, Ъ, Ь yo - inicial
ж	ž	ž	ž	zh	zh
з	z	z	z	z	z
и	i - tras vocal y cons. ji - tras Ь,	i	i	i	i
й	j	j	j	ï	i (se omite tras otra i)
к	k	k	k	k	k
л	l	l	l	l	l
м	m	m	m	m	m
н	n	n	n	n	n
о	o	o	o	o	o
П	p	p	p	p	p
р	r	r	r	r	r
с	s	s	s	s	s
т	t	t	t	t	t
у	u	u	u	u	u
ф	f	f	f	f	f
х	ch	h	kh	j	j
ц	c	c	c	ts	ts
ч	č	č	č	ch	ch
ш	š	š	š	sh	sh
щ	šč	šč	šč	shch	sch
Ъ	se omite	"	"	"	se omite
ы	y	y	y	y	y
Ь	' - final y ante cons. - se omite ante vocal	'	'	'	se omite
э	e	ě	ě	è	e
ю	'u - tras cons. ju - inic., tras vocal, Ъ, Ь	ju	iu	iu (ïu)	yu - inicial iu - demás casos
я	'a - tras cons. ja - inicial, tras voc., Ъ, Ь	ja	ia	ia (ïa)	ya - inicial ia - demás casos

Alfabeto fonético internacional

CONSONANTES	Bilabial	Labio-dental	Dental y alveolar	Retro-fleja	Palato-alveolar	Alveolo-palatal	Palatal	Velar	Uvular	Faringal	Glotal
Explosivas (oclusivas y africadas)	p b		t d	t ʈʂ			c ɟ	k g	q ɢ		ʔ
Nasales	m	ɱ	n	ɳ			ɲ	ŋ	N		
Laterales fricativas			ɬɮ								
Laterales no fricativas			l	ɭ			ʎ				
Vibrantes múltiples			r						R		
Vibrantes simples			ɾ	ɽ					ʀ		
Fricativas	ɸβ	fv	θ ðs z ɹ	ʂʐ	ʃʒ	ɕʑ	çj	xɣ	χʁ	ħʕ	hɦ
Continuas no fricativas y semivocales	wɥ	ʋ	ɹ				j (ɥ)	(w)	ɰʁ		

VOCALES											
Cerradas	(yʉʉ)						iy iu ɯu				
Medio cerradas	(ɸo)						eɸ ɣo				
Medio abiertas	(œɔ)						ɛœ ə ʌɔ				
Abiertas	(ɐ)						æₐ ɐ aɒ				

Sonidos del español

Consonantes	Bilabial		Labiodental		Dental		Interdental		Alveolar		Palatal		Velar	
	Sd*	Sn*	Sd	Sn	Sd	Sn	Sd	Sn	Sd	Sn	Sd	Sn	Sd	Sn
Oclusiva	p	b			t	d							k	g
Fricativa		β	f				θ	ð	s	Z		ǰ	X	Y
Africada											ĉ	ɟ		
Nasal		m		ɱ		ṇ		ṇ		n		ɲ		ŋ
Lateral						ḷ		ḷ		l		ʎ		
Vibrante simple										r				
Vibrante múltiple										r̄				

Vocales									Anterior		Central		Posterior	
Semiconsonante									J				W	
Semivocal									i̯				u̯	
Cerrada									i				u	
Media									e				o	
Abierta											a			

Fonemas del español

Consonantes	Bilabial		Labiodental		Dental		Interdental		Alveolar		Palatal		Velar	
	Sd	Sn	Sd	Sn	Sd	Sn	Sd	Sn	Sd	Sn	Sd	Sn	Sd	Sn
Oclusiva	p	b			t	d							k	g
Fricativa			f				θ		S			ǰ	X	
Africada											ĉ			
Nasal		m								n		ɲ		
Lateral										l		ʎ		
Vibrante simple										r				
Vibrante múltiple										r̄				

Vocales									Anterior		Central		Posterior	
Cerrada									i				u	
Media									e				o	
Abierta											a			

* Sd = sorda; Sn = Sonora

Atención

Fonemas	Representación ortográfica	Ejemplos
/b/	b v	*balón, Bolivia* *vivir, venir*
/ø/	z (+ a, e, i, o, u) c (+ e, i)	*zona, Zaragoza, zig-zag* *ciruela, Cecilia, cielo*
/g/	g (+ a, o, u) gu (+ e, i) g (+ ü + e, i)	*ganar, gorra, gurú* *guerra, guitarra* *cigüeña, pingüino*
/x/	g (+ e, i) j (+ vocal)	*cirugía, génesis* *jamás, jota, julio, Jesús*
/k/	c (+ a, o, u, o consonante) qu (+e, i) k	*casa, coser, cubrir, crema* *querer, quitar* *kilómetro*
/r/	r	*cara, caro, torero*
/r̄/	r rr (entre vocales)	*río, Ramón, alrededor, llamar, Israel* *carro, torre, barro*

Reglas de acentuación ortográfica

Llevan tilde (´)

a) Las palabras oxítonas o agudas (- - -´) que acaban en **vocal**, **-n** o **-s**:

   mamá, café, nación, cortés.

b) Las palabras paroxítonas o llanas (- -´ -) que **no** acaban en vocal, **-n** o **-s**:

   López, mármol, útil, huésped.

c) Todas las palabras proparoxítonas o esdrújulas (-´ - -):

   líquido, médico, sílaba.

Cuando el acento recae en una sílaba con diptongo, y de acuerdo con las reglas anteriores, la tilde ha de escribirse sobre la vocal más abierta:

   veréis, Cáucaso, situó.

Los monosílabos no llevan tilde, excepto cuando existen dos monosílabos iguales en su forma, pero con distinta función gramatical:

   él (pronombre) . . . . *el* (artículo)

   tú (pronombre) . . . . *tu* (adjetivo posesivo)

   mí (pronombre) . . . . *mi* (adjetivo posesivo)

   sí (adv. afirmación) . . . . *si* (conjunción)

   sé (verbo) . . . . *se* (pronombre personal)

   dé (verbo) . . . . *de* (preposición)

   más (adverbio de cantidad) . . . . *mas = pero* (conjunción)

   qué (interrogativo) . . . . *que* (relativo)

   cuál / cuáles (interrogativo) . . . . *cual / cuales* (relativo)

En las palabras compuestas sólo se pone la tilde en la última palabra, si le corresponde, según las reglas generales: *decimoséptimo, entrevías.*

Los adverbios en **-mente** conservan la tilde ortográfica si les corresponde en el primer elemento: *ágilmente, lícitamente.*

En los compuestos unidos por guión -, cada elemento conservará su acentuación ortográfica: *anglo-soviético, cántabro-astur.*

Cuando el compuesto está formado por dos o más palabras que no llevan tilde, debemos colocarla si el resultado es esdrújulo: *di + se + lo → díselo.*

Las palabras con letras mayúsculas deben escribirse con tilde cuando les corresponda según las reglas anteriores: MÁLAGA, JESÚS.

Los signos de puntuación

Vienen exigidos por la escritura, ya que sin ellos podría resultar dudoso y oscuro el significado de las cláusulas.

Los que se usan en castellano son:

coma	,	principio de exclamación	¡
punto y coma	;	fin de exclamación	!
dos puntos	:	paréntesis inicial	(
punto	.	paréntesis final	)
puntos suspensivos	...	diéresis	¨
principio de interrogación	¿	comillas	"
fin de interrogación	?	guión	-

La **coma** indica una pequeña pausa que se hace al hablar. Suelen ir entre comas:

Los vocativos:	*Ten en cuenta, Juan, que eso es cierto.*
Los incisos que interrumpen momentáneamente el curso de la oración:	*Debo deciros, y lo lamento, que no estaré.*
Las locuciones y los adverbios:	*Tu postura resulta, sencillamente, inadmisible.*
Los elementos de una serie de palabras cuando no van unidos por conjunciones:	*Llevaban violines, flautas, guitarras…*

El **punto y coma** marca una pausa más intensa que la coma, pero menos que el punto:

> *Antonio estudia idiomas; Benito, Matemáticas; Carlos, Física.*

El **punto** separa entre sí unidades autónomas de cierta extensión. Va siempre al final de una oración:

> *Ayer me encontré con tu hermano. No podía imaginar que estuviese allí.*

Los **dos puntos** sirven para introducir una enunciación:

> *Se mojó todo: los zapatos, la ropa, el equipaje…*

o para anunciar una cita que se hace en estilo directo:

> *Levantándose, exclamó: ¡Quedan todos despedidos!*

Los **puntos suspensivos** señalan que el hablante se interrumpe:

> *Con respecto a ese problema, no sé si debería…*

o que habla intermitentemente:

> *Me duele mucho… no puedo mover la mano… creo que me la he roto.*

o que la enumeración podría prolongarse:

> *Allí se vendía de todo: manzanas, naranjas, peras, fresas…*

Las **comillas** se usan para citar algo literalmente, o para escribir el título de un artículo, un poema, un capítulo de un libro, un reportaje o, en general, cualquier parte dependiente de una publicación:

> *Como dijo César, "la suerte está echada".*

> *Acabo de leer el artículo "El léxico de hoy" publicado en el periódico.*

La entonación

El grupo fónico es la unidad de entonación y se define como el fragmento de discurso comprendido entre dos pausas.

Enunciativa

Interrogativa

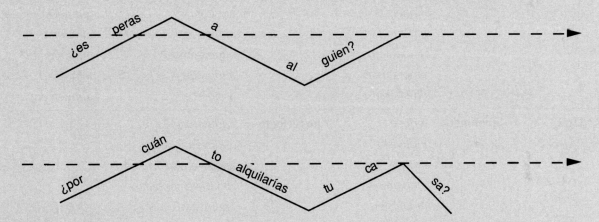

Exclamativa

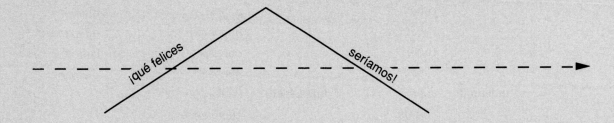

Verbos irregulares

Las formas del imperativo marcadas por el signo * pertenecen al presente de subjuntivo.

		INDICATIVO		SUBJUNTIVO	IMPERATIVO
ACERTAR	**Presente**	acierto		acierte	
		aciertas		aciertes	acierta
		acierta		acierte	acierte*
		acertamos		acertemos	acertemos*
		acertáis		acertéis	acertad
		aciertan		acierten	acierten*
ADQUIRIR	**Presente**	adquiero		adquiera	
		adquieres		adquieras	adquiere
		adquiere		adquiera	adquiera*
		adquirimos		adquiramos	adquiramos*
		adquirís		adquiráis	adquirid
		adquieren		adquieran	adquieran*
ALMORZAR	**Presente**	almuerzo		almuerce	
		almuerzas		almuerces	almuerza
		almuerza		almuerce	almuerce*
		almorzamos		almorcemos	almorcemos*
		almorzáis		almorcéis	almorzad
		almuerzan		almuercen	almuercen*
ANDAR	**Indefinido**	anduve	**Imperfecto**	anduviera/se	
		anduviste		anduvieras/ses	
		anduvo		anduviera/se	
		anduvimos		anduviéramos/semos	
		anduvisteis		anduvierais/seis	
		anduvieron		anduvieran/sen	
CABER	**Presente**	quepo		quepa	
		cabes		quepas	cabe
		cabe		quepa	quepa*
		cabemos		quepamos	quepamos*
		cabéis		quepáis	cabed
		caben		quepan	quepan*
	Indefinido	cupe	**Imperfecto**	cupiera/se	
		cupiste		cupieras/ses	
		cupo		cupiera/se	
		cupimos		cupiéramos/semos	
		cupisteis		cupierais/seis	
		cupieron		cupieran/sen	

		FUTURO	**CONDICIONAL**		
CABER		cabré	cabría		
		cabrás	cabrías		
		cabrá	cabría		
		cabremos	cabríamos		
		cabréis	cabríais		
		cabrán	cabrían		

		INDICATIVO		**SUBJUNTIVO**	**IMPERATIVO**
CAER	**Presente**	caigo		caiga	
		caes		caigas	cae
		cae		caiga	caiga*
		caemos		caigamos	caigamos*
		caéis		caigáis	caed
		caen		caigan	caigan*
	Indefinido	caí	**Imperfecto**	cayera/se	
		caíste		cayeras/ses	
		cayó		cayera/se	
		caímos		cayéramos/semos	
		caísteis		cayerais/seis	
		cayeron		cayeran/sen	
CONCEBIR	**Presente**	concibo		conciba	
		concibes		concibas	concibe
		concibe		conciba	conciba*
		concebimos		concibamos	concibamos*
		concebís		concibáis	concebid
		conciben		conciban	conciban*
	Indefinido	concebí	**Imperfecto**	concibiera/se	
		concebiste		concibieras/ses	
		concibió		concibiera/se	
		concebimos		concibiéramos/semos	
		concebisteis		concibierais/seis	
		concibieron		concibieran/sen	
CONCLUIR	**Presente**	concluyo		concluya	
		concluyes		concluyas	concluye
		concluye		concluya	concluya*
		concluimos		concluyamos	concluyamos*
		concluís		concluyáis	concluid
		concluyen		concluyan	concluyan*

		INDICATIVO		SUBJUNTIVO	IMPERATIVO
CONCLUIR	**Indefinido**	concluí	**Imperfecto**	concluyera/se	
		concluiste		concluyeras/ses	
		concluyó		concluyera/se	
		concluimos		concluyéramos/semos	
		concluisteis		concluyerais/seis	
		concluyeron		concluyeran/sen	
CONOCER	**Presente**	conozco		conozca	
		conoces		conozcas	conoce
		conoce		conozca	conozca*
		conocemos		conozcamos	conozcamos*
		conocéis		conozcáis	conoced
		conocen		conozcan	conozcan*
DAR	**Presente**	doy		dé	
		das		des	da
		da		dé	dé*
		damos		demos	demos*
		dais		deis	dad
		dan		den	den*
	Indefinido	di	**Imperfecto**	diera/se	
		diste		dieras/ses	
		dio		diera/se	
		dimos		diéramos/semos	
		disteis		dierais/seis	
		dieron		dieran/sen	
DECIR	**Presente**	digo		diga	
		dices		digas	di
		dice		diga	diga*
		decimos		digamos	digamos*
		decís		digáis	decid
		dicen		digan	digan*
	Indefinido	dije	**Imperfecto**	dijera/se	
		dijiste		dijeras/ses	
		dijo		dijera/se	
		dijimos		dijéramos/semos	
		dijisteis		dijerais/seis	
		dijeron		dijeran/sen	

	FUTURO	CONDICIONAL
DECIR	diré	diría
	dirás	dirías
	dirá	diría
	diremos	diríamos
	diréis	diríais
	dirán	dirían

		INDICATIVO	SUBJUNTIVO	IMPERATIVO
DORMIR	**Presente**	duermo	duerma	
		duermes	duermas	duerme
		duerme	duerma	duerma*
		dormimos	durmamos	durmamos*
		dormís	durmáis	dormid
		duermen	duerman	duerman*
	Indefinido	dormí	**Imperfecto** durmiera/se	
		dormiste	durmieras/ses	
		durmió	durmiera/se	
		dormimos	durmiéramos/semos	
		dormisteis	durmierais/seis	
		durmieron	durmieran/sen	

		INDICATIVO	SUBJUNTIVO	IMPERATIVO
ENTENDER	**Presente**	entiendo	entienda	
		entiendes	entiendas	entiende
		entiende	entienda	entienda*
		entendemos	entendamos	entendamos*
		entendéis	entendáis	entended
		entienden	entiendan	entiendan*

		INDICATIVO	SUBJUNTIVO	IMPERATIVO
ENTRETENER	**Presente**	entretengo	entretenga	
		entretienes	entretengas	entretén
		entretiene	entretenga	entretenga*
		entretenemos	entretengamos	entretengamos*
		entretenéis	entretengáis	entretened
		entretienen	entretengan	entretengan*
	Indefinido	entretuve	**Imperfecto** entretuviera/se	
		entretuviste	entretuvieras/ses	
		entretuvo	entretuviera/se	
		entretuvimos	entretuviéramos/semos	
		entretuvisteis	entretuvierais/seis	
		entretuvieron	entretuvieran/sen	

ENTRETENER		FUTURO	CONDICIONAL	
		entretendré	entretendría	
		entretendrás	entretendrías	
		entretendrá	entretendría	
		entretendremos	entretendríamos	
		entretendréis	entretendríais	
		entretendrán	entretendrían	

		INDICATIVO	SUBJUNTIVO	IMPERATIVO
EXTENDER	Presente	extiendo	extienda	
		extiendes	extiendas	extiende
		extiende	extienda	extienda*
		extendemos	extendamos	extendamos*
		extendéis	extendáis	extended
		extienden	extiendan	extiendan*
FREGAR	Presente	friego	friegue	
		friegas	friegues	friega
		friega	friegue	friegue*
		fregamos	freguemos	freguemos*
		fregáis	freguéis	fregad
		friegan	frieguen	frieguen*
HACER	Presente	hago	haga	
		haces	hagas	haz
		hace	haga	haga*
		hacemos	hagamos	hagamos*
		hacéis	hagáis	haced
		hacen	hagan	hagan*
	Indefinido	hice	Imperfecto	hiciera/se
		hiciste		hicieras/ses
		hizo		hiciera/se
		hicimos		hiciéramos/semos
		hicisteis		hicierais/seis
		hicieron		hicieran/sen
IR	Presente	voy	vaya	
		vas	vayas	ve
		va	vaya	vaya*
		vamos	vayamos	vayamos*
		vais	vayáis	id
		van	vayan	vayan*

		INDICATIVO		SUBJUNTIVO	IMPERATIVO
IR	**Indefinido**	fui	**Imperfecto**	fuera/se	
		fuiste		fueras/ses	
		fue		fuera/se	
		fuimos		fuéramos/semos	
		fuisteis		fuerais/seis	
		fueron		fueran/sen	
JUGAR	**Presente**	juego		juegue	
		juegas		juegues	juega
		juega		juegue	juegue*
		jugamos		juguemos	juguemos*
		jugáis		juguéis	jugad
		juegan		jueguen	jueguen*
MENTIR	**Presente**	miento		mienta	
		mientes		mientas	miente
		miente		mienta	mienta*
		mentimos		mintamos	mintamos*
		mentís		mintáis	mentid
		mienten		mientan	mientan*
	Indefinido	mentí	**Imperfecto**	mintiera/se	
		mentiste		mintieras/ses	
		mintió		mintiera/se	
		mentimos		mintiéramos/semos	
		mentisteis		mintierais/seis	
		mintieron		mintieran/sen	
MOVER	**Presente**	muevo		mueva	
		mueves		muevas	mueve
		mueve		mueva	mueva*
		movemos		movamos	movamos*
		movéis		mováis	moved
		mueven		muevan	muevan*
NACER	**Presente**	nazco		nazca	
		naces		nazcas	nace
		nace		nazca	nazca*
		nacemos		nazcamos	nazcamos*
		nacéis		nazcáis	naced
		nacen		nazcan	nazcan*

		INDICATIVO	SUBJUNTIVO	IMPERATIVO
OÍR	Presente	oigo	oiga	
		oyes	oigas	oye
		oye	oiga	oiga*
		oímos	oigamos	oigamos*
		oís	oigáis	oid
		oyen	oigan	oigan*
OLER	Presente	huelo	huela	
		hueles	huelas	huele
		huele	huela	huela*
		olemos	olamos	olamos*
		oléis	oláis	oled
		huelen	huelan	huelan*
PARECER	Presente	parezco	parezca	
		pareces	parezcas	parece
		parece	parezca	parezca*
		parecemos	parezcamos	parezcamos*
		parecéis	parezcáis	pareced
		parecen	parezcan	parezcan*
PEDIR	Presente	pido	pida	
		pides	pidas	pide
		pide	pida	pida*
		pedimos	pidamos	pidamos*
		pedís	pidáis	pedid
		piden	pidan	pidan*
	Indefinido	pedí	Imperfecto	pidiera/se	
		pediste	pidieras/ses	
		pidió	pidiera/se	
		pedimos	pidiéramos/semos	
		pedisteis	pidierais/seis	
		pidieron	pidieran/sen	
PERDER	Presente	pierdo	pierda	
		pierdes	pierdas	pierde
		pierde	pierda	pierda*
		perdemos	perdamos	perdamos*
		perdéis	perdáis	perded
		pierden	pierdan	pierdan*

		INDICATIVO		SUBJUNTIVO	IMPERATIVO
PODER	**Presente**	*puedo*		*pueda*	
		puedes		*puedas*	*puede*
		puede		*pueda*	*pueda**
		podemos		*podamos*	*podamos**
		podéis		*podáis*	*poded*
		pueden		*puedan*	*puedan**
	Indefinido	*pude*	**Imperfecto**	*pudiera/se*	
		pudiste		*pudieras/ses*	
		pudo		*pudiera/se*	
		pudimos		*pudiéramos/semos*	
		pudisteis		*pudierais/seis*	
		pudieron		*pudieran/sen*	

	FUTURO	CONDICIONAL
	podré	*podría*
	podrás	*podrías*
	podrá	*podría*
	podremos	*podríamos*
	podréis	*podríais*
	podrán	*podrían*

		INDICATIVO		SUBJUNTIVO	IMPERATIVO
PONER	**Presente**	*pongo*		*ponga*	
		pones		*pongas*	*pon*
		pone		*ponga*	*ponga**
		ponemos		*pongamos*	*pongamos**
		ponéis		*pongáis*	*poned*
		ponen		*pongan*	*pongan**
	Indefinido	*puse*	**Imperfecto**	*pusiera/se*	
		pusiste		*pusieras/ses*	
		puso		*pusiera/se*	
		pusimos		*pusiéramos/semos*	
		pusisteis		*pusierais/seis*	
		pusieron		*pusieran/sen*	

		FUTURO	CONDICIONAL	
PONER		pondré	pondría	
		pondrás	pondrías	
		pondrá	pondría	
		pondremos	pondríamos	
		pondréis	pondríais	
		pondrán	pondrían	

		INDICATIVO	SUBJUNTIVO	IMPERATIVO
PROBAR	**Presente**	pruebo	pruebe	
		pruebas	pruebes	prueba
		prueba	pruebe	pruebe*
		probamos	probemos	probemos*
		probáis	probéis	probad
		prueban	prueben	prueben*
PRODUCIR	**Presente**	produzco	produzca	
		produces	produzcas	produce
		produce	produzca	produzca*
		producimos	produzcamos	produzcamos*
		producís	produzcáis	producid
		producen	produzcan	produzcan*
	Indefinido	produje	**Imperfecto** produjera/se	
		produjiste	produjeras/ses	
		produjo	produjera/se	
		produjimos	produjéramos/semos	
		produjisteis	produjerais/seis	
		produjeron	produjeran/sen	
QUERER	**Presente**	quiero	quiera	
		quieres	quieras	quiere
		quiere	quiera	quiera
		queremos	queramos	queramos
		queréis	queráis	quered
		quieren	quieran	quieran
	Indefinido	quise	**Imperfecto** quisiera/se	
		quisiste	quisieras/ses	
		quiso	quisiera/se	
		quisimos	quisiéramos/semos	
		quisisteis	quisierais/seis	
		quisieron	quisieran/sen	

		FUTURO	CONDICIONAL	
QUERER		querré	querría	
		querrás	querrías	
		querrá	querría	
		querremos	querríamos	
		querréis	querríais	
		querrán	querrían	

		INDICATIVO	SUBJUNTIVO	IMPERATIVO
REÍR	Presente	río	ría	
		ríes	rías	ríe
		ríe	ría	ría*
		reímos	riamos	riamos*
		reís	riáis	reid
		ríen	rían	rían*
	Indefinido	reí	Imperfecto riera/se	
		reíste	rieras/ses	
		rió	riera/se	
		reímos	riéramos/semos	
		reísteis	rierais/seis	
		rieron	rieran/sen	

		INDICATIVO	SUBJUNTIVO	IMPERATIVO
SABER	Presente	sé	sepa	
		sabes	sepas	sabe
		sabe	sepa	sepa*
		sabemos	sepamos	sepamos*
		sabéis	sepáis	sabed
		saben	sepan	sepan*
	Indefinido	supe	Imperfecto supiera/se	
		supiste	supieras/ses	
		supo	supiera/se	
		supimos	supiéramos/semos	
		supisteis	supierais/seis	
		supieron	supieran/sen	

		FUTURO	CONDICIONAL
		sabré	sabría
		sabrás	sabrías
		sabrá	sabría
		sabremos	sabríamos
		sabréis	sabríais
		sabrán	sabrían

		INDICATIVO	SUBJUNTIVO	IMPERATIVO
TENER	**Presente**	tengo	tenga	
		tienes	tengas	ten
		tiene	tenga	tenga*
		tenemos	tengamos	tengamos*
		tenéis	tengáis	tened
		tienen	tengan	tengan*
	Indefinido	tuve	**Imperfecto** tuviera/se	
		tuviste	tuvieras/ses	
		tuvo	tuviera/se	
		tuvimos	tuviéramos/semos	
		tuvisteis	tuvierais/seis	
		tuvieron	tuvieran/sen	

	FUTURO	**CONDICIONAL**
	tendré	tendría
	tendrás	tendrías
	tendrá	tendría
	tendremos	tendríamos
	tendréis	tendríais
	tendrán	tendrían

		INDICATIVO	SUBJUNTIVO	IMPERATIVO
TRAER	**Presente**	traigo	traiga	
		traes	traigas	trae
		trae	traiga	traiga*
		traemos	traigamos	traigamos*
		traéis	traigáis	traed
		traen	traigan	traigan*
	Indefinido	traje	**Imperfecto** trajera/se	
		trajiste	trajeras/ses	
		trajo	trajera/se	
		trajimos	trajéramos/semos	
		trajisteis	trajerais/seis	
		trajeron	trajeran/sen	

VALER	**Presente**	valgo	valga	
		vales	valgas	vale
		vale	valga	valga*
		valemos	valgamos	valgamos*
		valéis	valgáis	valed
		valen	valgan	valgan*

		FUTURO	CONDICIONAL	
VALER		valdré	valdría	
		valdrás	valdrías	
		valdrá	valdría	
		valdremos	valdríamos	
		valdréis	valdríais	
		valdrán	valdrían	

		INDICATIVO		SUBJUNTIVO	IMPERATIVO
VENIR	Presente	vengo		venga	
		vienes		vengas	ven
		viene		venga	venga*
		venimos		vengamos	vengamos*
		venís		vengáis	venid
		vienen		vengan	vengan*
	Indefinido	vine	Imperfecto	viniera/se	
		viniste		vinieras/ses	
		vino		viniera/se	
		vinimos		viniéramos/semos	
		vinisteis		vinierais/seis	
		vinieron		vinieran/sen	

		FUTURO	CONDICIONAL
		vendré	vendría
		vendrás	vendrías
		vendrá	vendría
		vendremos	vendríamos
		vendréis	vendríais
		vendrán	vendrían

		INDICATIVO		SUBJUNTIVO	IMPERATIVO
VER	Presente	veo		vea	
		ves		veas	ve
		ve		vea	vea*
		vemos		veamos	veamos*
		veis		veáis	ved
		ven		vean	vean*
	Indefinido	vi	Imperfecto	viera/se	
		viste		vieras/ses	
		vio		viera/se	
		vimos		viéramos/semos	
		visteis		vierais/seis	
		vieron		vieran/sen	

Glosario

A

	Unidad		Unidad		Unidad
a cántaros	1	aclamación, la	20	agua, el	3
a causa de	5	aclamar	7	agudo/a	20
a coro	18	acompañamiento, el	13	águila, el	12
a cuenta de	12	acontecimiento, el	16	¡ah!	11
a cuerpo de rey	12	acordar(se)	1	ahí	1
a decir verdad	12	acostar(se)	5	¡ahí va!	11
a Dios rogando		acostumbrado/a	3	ahogar(se)	10
y con el mazo dando	12	acrópolis, la	7	ahorrar	4
a domicilio	7	actitud, la	14	aire, el	2
a favor de	8	actividad, la	14	ajedrez, el	9
a fin de que	10	activo/a	8	ajustar	8
a fuerza de	8	actuación, la	19	al contado	7
a grandes rasgos	12	actual	9	al menos	10
a la ligera	20	actualidad, la	4	al mismo tiempo	7
a lo mejor	15	acudir al trapo	21	al parecer	13
a máquina	1	acudir	8	al pie de la letra	12
a medida que	11	acuerdo, el	7	al revés	5
a ojo de buen cubero	12	acusado/a, el/la	15	al uso	12
a otro perro con ese hueso	12	acusar	21	alarde, el	19
a partir un piñón	12	adecuar	21	alarma, la	20
a perro flaco, todo son pulgas	12	adelgazar	5	alarmado/a	1
a pesar de	6	adentro	12	albero, el	21
a pie	10	adiestrado/a	14	alcance, el	14
a punto de	14	adjuntar	1	alcanzar	8
a raíz de	15	administración, la	15	aldea, la	21
a rajatabla	12	admirar	17	alegrar(se)	2
a razón de	18	admitir	12	alejar(se)	5
a tiempo	5	adquirir	14	alemán/a, el/la	6
a tiro de piedra	20	aducir	8	algodón, el	14
a un tiro de piedra	20	adulón/a	19	alguacil, el/la	21
a veces	1	adúltero/a	21	alimentar	15
abandonar	15	adversario/a, el/la	8	alineado/a	16
abandono, el	17	advertir	8	alineamiento, el	12
abeja, la	12	aerodinámico/a	13	aliviar	20
abismo, el	14	aeropuerto, el	18	almendra, la	11
abocar	8	afectado/a, el/la	20	almendro, el	11
abrazo, el	6	afectar	20	alojar(se)	10
abrelatas, el	10	afición, la	21	alpino	16
abrigado/a	9	aficionado/a	3	alquiler, el	2
abril	8	afilado/a	11	alrededores, los	1
abrir	1	afirmación, la	13	alterar(se)	13
absorto/a	14	afónico/a	8	alternativa, la	21
abstraer	16	aforo, el	21	altura, la	12
abundancia, la	9	agencia, la	10	alubia, la	11
abundar	17	aglomeración, la	18	amar	10
aburrido/a	3	agotado/a	14	ambición, la	10
aburrirse	4	agotar	1	ambicioso/a	15
acabar	3	agradable	4	ambientar(se)	11
academia, la	1	agradar	1	ambiente, el	11
acceder	12	agradecer	3	ambos/as	14
acceso, el	12	agradecido/a	3	americano/a, el/la	2
accidental	12	agredir	17	amerindio/a	15
accidente, el	5	agreste	16	amonestar	16
aceptación, la	20	agrícola	18	amplio/a	13
aceptar	3	agricultura, la	12	analfabeto/a	9
acercar(se)	10	agrupar(se)	17	analizar	16

	Unidad		Unidad		Unidad
anarquía, la	9	apedrear	21	asistir	2
anarquista, el/la	1	apenas	1	asmático/a	3
ancestral	21	apetito, el	4	asomar(se)	12
ancho/a	4	apilar	15	asombrar	8
andaluz/a	2	aplicado/a	6	asombro, el	14
andaluzado/a	15	aplicar	20	asombroso/a	13
andanada, la	20	apostar	8	aspecto, el	8
andar a la pesca de	12	apreciado/a	3	aspirante, el/la	1
andar de cabeza	13	apreciar	17	asustado/a	19
Andorra	13	aprobado/a	7	asustar(se)	10
anécdota, la	15	aprobar	3	atacar	11
anemia, la	9	aquí	1	atender	15
anfibio, el	9	árabe, el/la	1	atento/a	6
anfiteatro, el	9	árbitro, el/la	16	aterrizar	8
angosto/a	18	arbusto, el	8	Atlántico, el	12
animal, el	2	arca, el	12	atleta, el/la	6
ánimo, el	18	arco, el	19	atmósfera, la	4
anoche	18	archifamoso/a	9	atmosférico/a	4
anochecer	18	archipiélago, el	9	átomo, el	9
anovulatorio, el	9	archivo, el	7	atraer	16
antaño	21	área, el	17	atrás	15
ante	14	argelino/a, el/la	11	atravesar	10
antecedente, el	19	árido/a	18	atrever(se)	5
antena, la	6	arma, el	12	atribuir	7
antepasado/a, el/la	9	armonía, la	12	audiencia, la	13
anteponer	9	armonioso/a	16	auge, el	17
anterioridad, la	14	arrastre, el	21	aumentar	20
antibiótico, el	9	arreglar(se)	2	aumento, el	20
anticlerical, el/la	9	arrepentido/a	9	aun cuando	10
anticontaminante	4	arrojar	4	au-pair, la	1
anticuario, el	7	arrojo, el	14	auscultar	7
antidivorcista, el/la	9	arruga, la	11	auténtico/a	7
antifeminista	14	arte, el	7	autóctono/a	19
antiguamente	18	artificial	18	autoridad, la	4
antigüedad, la	21	artista, el/la	13	autorizar	16
antitaurino/a	21	artístico/a	1	avance, el	12
antonomasia, la	18	arzobispo, el	15	avanzado/a	12
anular(se)	17	asa, el	12	ave, el	12
anunciar	8	asado/a	7	avejentado/a	4
anuncio, el	1	ascender	20	aventura, la	5
añadir	16	ascensor, el	2	averiguar	13
año, el	1	aseado/a	17	avión, el	1
apagar	3	asegurar(se)	15	avisar	9
aparcar	3	asentar(se)	15	¡ay!	11
aparecer	1	asequible	12	ayer	1
aparentemente	19	asignatura, la	15	ayuda, la	3
aparición, la	20	asimétrico/a	9	ayudar	1
apartado	5	asimilar	19	ayuntamiento, el	7
apartamento, el	6	asimismo	13	azahar, el	19
apasionar(se)	13	asistente, el/la	12	azul	3

B					
bahía, la	14	baloncesto, el	18	barco, el	9
bailar en la cuerda floja	18	ballet, el	1	barrera, la	10
bailarina, la	9	banco, el	18	barro, el	19
bajar	18	banderillero, el	21	barroco/a	16
balón, el	11	bañarse en agua de rosas	18	basar(se)	21

	Unidad
base, la	20
bautizar	19
beca, la	5
belicismo, el	14
belleza, la	16
beneficiar	18
beneficio, el	15
bicolor	7
bien	1
bisoñez, la	20
blanco, el	15
bloque, el	12
bloquear	5
boca arriba	20
bocacalle, la	10
Bolivia	13

	Unidad
bolsillo, el	1
bombón, el	11
boquete, el	13
borracho/a	5
borrasca, la	1
bota, la	5
bote, el	18
botón, el	21
botones, el/la	7
boxeador/a, el/la	8
boxear	10
bravo	21
braza, la	11
brazo, el	10
breve	7
brillar	1

	Unidad
brindar	21
brindis, el	21
brujería, la	10
brújula, la	7
bruto/a	21
¡buen viaje!	1
buenos días	1
Bulgaria	13
bunker, el	12
burgués/a	16
burla, la	7
busca, la	14
buscar	1
butaca, la	2

C

	Unidad
caballeresco/a	16
caballero, el	18
cabaré, el	21
cabezota	2
cabra, la	21
cacharrito, el	14
cachorro/a, el/la	9
cada maestrillo tiene su librillo	17
caer de pie	13
caer en desgracia	18
caer en gracia	18
cafe teatro, el	10
cafetera, la	14
caída, la	10
caja, la	7
cajista, el/la	10
calamar, el	9
calcular	16
calidad, la	2
cálido/a	18
caliente	3
calificar	20
calma, la	2
calzada, la	9
callar(se)	11
callejear	19
cámara, la	5
cambiado/a	4
cambiar	5
cambiar de tercio	21
cambio, el	20
camilla, la	11
caminar	1
camino, el	6
campana, la	15
campanario, el	21
campaña, la	21
campeón/a, el/la	7
campesino/a, el/la	17
cámping, el	1
cáncer, el	3

	Unidad
candidato/a, el/la	1
cansancio, el	20
cansar(se)	20
cantautor, el	8
cantidad, la	7
caña de azúcar, la	14
capacidad, la	14
capaz	8
capital, el	11
capital, la	11
capote, el	21
capturar	3
característica, la	16
carantoña, la	19
carbón, el	3
carecer	10
cariñosamente	14
carnaval, el	21
carné, el	1
carrera, la	6
carretera, la	1
cartel, el	15
cartelera, la	2
casa de campo, la	5
casa cuna, la	10
casado/a	2
casar(se)	1
caso de	9
caso, el	13
castaña, la	11
castaño, el	11
castigado/a	20
castigar	4
casualidad, la	6
catacumba, la	21
catalán/a, el/la	13
caudal, el	14
causa, la	14
causar	10
cédula, la	15
celebrar(se)	4

	Unidad
célebre	21
cena, la	15
cenar	2
centralita telefónica, la	10
centrar	16
centro, el	4
cera, la	19
cercar	16
cereal, el	14
certamen, el	16
certificado, el	1
cesta, la	12
chalé, el	21
chino/a, el/la	11
chocar	5
chotis, el	19
cierto/a	15
cifra, la	20
cima, la	4
cimiento, el	21
cinta, la	21
circo, el	5
circular	13
circundar	9
circunstancia, la	13
circunvalación, la	9
ciruela, la	11
ciruelo, el	11
cita, la	16
citar(se)	5
claramente	13
clarín, el	21
clásico/a	11
clasificación, la	8
cláusula, la	14
clero, el	15
cliente/a, el/la	2
climático/a	18
climatología, la	18
clon, el	21
club, el	12

D

	Unidad
diversidad, la	18
diverso/a	8
divertido/a	3
divertimento, el	21
divertir(se)	3
divisa, la	21
divorcio, el	20
divulgar	20
docencia, la	8

	Unidad
dócil	10
documento, el	12
dolor, el	4
domicilio, el	7
dominante	13
dominio, el	13
donde	1
dormir(se)	1
dosis, la	21

	Unidad
dotar	15
dote, la	14
droga, la	11
ducharse	7
dudar	2
dulce	21
dulce, el	11
durante	7

E

	Unidad
eclesiástico/a, el/la	15
ecologista, el/la	21
economía, la	16
económico/a	1
echar	3
echar a suertes	15
echar balones fuera	15
echar cuentas	15
echar chispas	15
echar el guante	15
echar en saco roto	15
echar la casa por la ventana	15
echar las campanas al vuelo	15
echar las cartas	15
echar leña al fuego	15
echar los hígados	15
echar mano de	15
echar mucho teatro	15
echar pelillos a la mar	12
echar por la borda	15
echar toda la carne en el asador	15
echar un mano a mano	15
echar una mano	15
echar una ojeada	15
echarle a alguien un capote	21
echarse atrás	15
echarse un trago	15
echarse un/a amigo/a	15
edición, la	9
edicto, el	15
edificio, el	7
editorial, el	10
educar	13
efectivamente	15
efectuar	3
egoísta, el/la	4
¡eh!	11
eje, el	17
ejercitar(se)	16
ejército, el	14
El Salvador	13
elasticidad, la	13
electricista, el/la	18
elemental	15
élite, la	16
emanar	12
emancipación, la	15
embajada, la	21

	Unidad
embajador/a, el/la	20
embalar	7
embalse, el	18
embarazada	6
embarazo, el	20
embarque, el	8
embestida, la	21
emborrachar(se)	9
embotellado/a	9
emigración, la	17
emigrante, el/la	9
eminentemente,	18
emoción, la	5
empeorar	15
emperador/a, el/la	14
empezar	1
empleado/a, el/la	20
emplear	15
empleo, el	16
empresa, la	1
empresario/a, el/la	7
empujar	11
en abril aguas mil	8
en cambio	10
en casa del herrero cuchillo de palo	18
en caso de	9
en cierto modo	4
en contra de	8
en cuclillas	18
en efecto	18
en fin	5
en la mesa y en el juego se conoce al caballero	18
en lugar de	6
¡en marcha!	3
en otros términos	18
en relación con	8
en torno a	17
en un abrir y cerrar de ojos	18
en vez de	14
enaltecer	14
encaminar(se)	8
encargar(se)	1
encestar	9
enceste, el	15
enciclopedia, la	9
enclave, el	12

	Unidad
encontrar	1
encontrar(se)	1
encuentro, el	10
encuesta, la	4
enchufar	9
enchufe, el	18
endocrinología, la	9
enemigo/a, el/la	7
energético/a	3
enfadar(se)	5
enfermedad, la	11
enfermero/a, el/la	6
enfrentar(se)	17
enhorabuena, la	9
enigma, el	13
ensalada, la	15
ensanchar	13
enseguida	1
enseñanza, la	8
enseñar	5
entender	21
enterar(se)	5
entero/a	21
entonces	1
entorno, el	4
entrañable	19
entrar en vigor	21
entregar	11
entrenador/a, el/la	19
entrenar(se)	3
entreplanta, la	9
entresuelo, el	2
entrevista, la	6
entrevistar(se)	1
entusiasmo, el	15
envejecido/a	14
enviar	9
envolvente	20
epicentro, el	9
epidémico/a	11
episodio, el	15
epitafio, el	9
época, la	7
equipado/a	5
equipaje, el	3
equivocar(se)	9
error, el	13
escala, la	16

	Unidad		Unidad		Unidad
flojo/a	8	fotografiar	15	frugal	15
foco, el	16	francés/a	7	fruto, el	11
fomentar	16	franqueza, la	14	fuente, la	8
fomento, el	19	fraticida	10	fuerza, la	9
forma, la	10	frecuencia, la	18	fuerzas del orden, las	17
formar parte de	12	frecuente	3	fumar	1
foro, el	12	fregar	10	función, la	1
forofo/a, el/la	15	frente a	12	funcionamiento, el	17
fortalecer(se)	19	frente, el	11	funcionar	2
forzar	20	frente, la	11	fundamental	19
foto, la	2	fresco/a	7	fundamentar(se)	14
fotogénico/a	9	friegaplatos, el	16	fundar	14
fotografía, la	5	frontera, la	10	funeral, el	13

G

	Unidad		Unidad		Unidad
galerada, la	10	golfo, el	19	grito, el	8
gallego/a, el/la	13	golpe, el	18	grosería, la	20
ganadería, la	21	golpear	14	grúa, la	7
ganado, el	10	gordo/a	4	guardabarros, el	1
gaseosa, la	9	gozar	20	guardagujas, el	10
generación, la	10	grabación, la	7	guardar	3
general	8	grada, la	21	guardar cama	3
geográfico/a	12	gran	10	guardia, el/la	6
geología, la	9	granada, la	11	Guatemala	13
geopolítica, la	9	granado, el	11	guerrillero/a, el/la	16
gestión, la	6	granizar	7	guía, el/la	7
gimnasia, la	10	granjero/a, el/la	10	Guinea Ecuatorial	13
gitano/a, el/la	15	grato/a	8	guisar	11
gloria, la	14	grave	3	guitarrista, el/la	9
gobernante, el/la	4	gripe, la	3	gusano, el	14
gobierno, el	4	gritar	6		

H

	Unidad		Unidad		Unidad
habilidad, la	12	hacer pucheros	16	heredero/a, el/la	19
habitante, el/la	12	hacer sombra a alguien	16	hereje, el/la	10
habitar	11	hacer un buen papel	16	herejía, la	10
hábito, el	14	hacerse a la mar	16	herencia, la	17
hablante, el/la	15	hacerse de rogar	16	hermoso/a	1
hablar por hablar	4	hacerse el sueco	16	héroe, el/la	10
hacer borrón y cuenta nueva	16	hacerse la boca agua	16	heroico/a	15
hacer buen/mal tiempo	2	hacerse un lío	16	hervir	3
hacer buenas migas	16	hacha, el	12	hexagonal	11
hacer carrera	16	¡hala!	11	hexámetro, el	11
hacer caso	10	halagüeño/a	8	hidalgo, el	14
hacer de su capa un sayo	16	hallar	7	hidrógeno, el	11
hacer de tripas corazón	16	hambre, el	10	hierba, la	11
hacer el agosto	16	harto/a	3	higiénico/a	9
hacer el primo	16	hasta ahora	6	hipérbole, la	11
hacer eses	16	hasta la vuelta	11	hipocresía, la	3
hacer gala de algo	16	hasta mañana	1	hipotensión, la	9
hacer la colada	16	hechizar	15	hipótesis, la	13
hacer la rosca a alguien	16	hecho, el	14	hispánico/a	13
hacer la vista gorda	16	helado/a	9	hispanización, la	15
hacer novillos	21	hemiplejia, la	11	hispanizador/a	15

	Unidad		Unidad		Unidad
hispano/a	21	horario, el	12	húmedo/a	14
Hispanoamérica	15	horizontalidad, la	1	humo, el	8
hispanohablante, el/la	15	hucha, la	19	humor de perros, un	2
historiador/a, el/la	14	huella, la	11	humor, el	3
histórico/a	13	huérfano/a, el/la	11	humorista, el/la	12
hogar, el	20	huerta, la	18	hundir(se)	18
hombre rana, el	10	humanidad, la	21	huracán, el	6
Honduras	13	Humanidades, las	8	¡huy!	11
honrado/a	9	humano/a	18		

I

	Unidad		Unidad		Unidad
Ibérica, la	12	incurable	9	insistir	3
idea, la	1	independencia, la	15	insólito/a	20
idiomático/a	15	indicación, la	19	insostenible	20
idiosincrasia, la	16	indicar	4	instalación, la	18
igual	3	índice, el	9	instalar(se)	7
igualdad, la	12	indígena, el/la	15	institución, la	16
ilusión, la	17	indio/a, el/la	14	Instituto de Enseñanza Media, el	1
imagen, la	17	individuo, el	19	instrucción, la	11
imaginación, la	14	indoeuropeo/a	13	instructivo/a	10
imaginar(se)	6	índole, la	20	intelectual, el/la	8
impaciente	2	inducir	20	intención, la	15
imperio, el	7	indudablemente	16	intenso/a	3
implicación, la	20	industrialización, la	17	interés, el	4
implicar	13	inequívoco/a	12	interesante	1
imponer	15	inevitable	16	interfacultativo/a	16
importado/a	7	inferior	16	interior, el	17
importancia, la	11	infiel, el/la	3	internacional	10
imprenta, la	16	ínfimo/a	19	interno/a	17
imprescindible	13	infinito/a	14	interpretar	14
impresión, la	10	inflexible	4	intérprete, el/la	15
impresionado/a	15	influencia, la	15	interrumpir	2
impreso, el	11	infracción, la	4	intuir	11
imprimir	16	infringir	8	inútil	19
impuesto, el	3	ingenio, el	9	invernal	16
inacabable	19	ingenioso/a	12	inverosímil	13
incansable	14	ingenuo/a	17	invertir	7
incidencia, la	17	inglés/a, el/la	1	investigación, la	7
incienso, el	7	inicialmente	15	investigador, el	7
incluso	14	iniciar(se)	7	invitación, la	5
incompatibilidad, la	21	inicio, el	21	invitado/a, el/la	20
incompleto/a	16	inmediatamente	14	involucrar	19
incomprensible	15	inmigración, la	12	inyección, la	10
inconveniente, el	6	inmigrante, el/la	17	ir de Herodes a Pilatos	13
incorporar(se)	21	innecesario/a	10	ir de la Ceca a la Meca	13
incorrección, la	11	innegable	14	ir de mal en peor	18
incrementar	12	inocencia, la	21	ira, la	11
incumplir	15	inocente, el/la	19	isla, la	11

J

	Unidad		Unidad		Unidad
japonés/a, el/la	14	jubilar(se)	20	juntos/as	6
jarra, la	9	judaico/a	16	jurídico/a	12
jefe de personal, el	1	judío/a	13	justicia, la	12
jornada, la	1	jugador/a, el/la	6	justificar(se)	13
jota, la	21	juguete, el	8	justo/a	3
joven, el/la	20	juguetería, la	14		

	Unidad		Unidad		Unidad
moreno/a	9	movimiento, el	17	mula, la	21
morir(se)	1	muchacho, el	2	muleta, la	21
mosaico, el	7	¡muchas gracias!	1	multa, la	4
mosca, la	3	mueble cama, el	10	multicentro, el	13
mostrar	15	muela, la	11	multitud, la	7
moto, la	9	muerte, la	11	mundialmente	21
motocarro, el	10	muerto/a	7	muñeco/a, el/la	14
motocicleta, la	15	muestra, la	16	muralla, la	19
movilidad, la	9	mugir	11	musical	21

N

	Unidad		Unidad		Unidad
nacional	12	negocio, el	16	norma, la	15
naranjo, el	11	nene/a, el/la	14	normal	18
nata, la	2	neofascista	13	normalmente	15
natalidad, la	9	neolatino/a	13	notar	18
natural	1	neologismo, el	9	notas, las	11
naturaleza, la	1	nervios, los	3	novillada, la	21
náufrago/a, el/la	18	nervioso/a	3	novillero, el	21
navegante, el/la	14	no dejar de la mano	13	nublado/a	1
nazareno/a, el/la	19	no tener ni pies ni cabeza	17	núcleo, el	17
necesario/a	3	no tener pelos en la lengua	17	Nuevo Mundo, el	14
negar(se)	9	nobleza, la	21		
negociar	16	nombramiento, el	15		

O

	Unidad		Unidad		Unidad
objetivo, el	19	oficio, el	9	orden, el	11
obligatorio/a	16	¡oh!	11	orden, la	13
obrero/a, el/la	12	oleoducto, el	10	ordenador, el	2
observar	10	oler cuero	19	ordenamiento, el	12
obsesionado/a	15	olor, el	7	oreja, la	8
obtener	1	olvidar	1	organización, la	12
obvio/a	20	omnipresente	13	organizar	7
ocasión, la	13	ONU, la	12	órgano, el	15
occidental	11	ópera, la	1	original	11
occidente, el	16	operación, la	3	originar	17
ocio, el	20	operar	1	orografía, la	18
oculista, el/la	16	opinar	10	ortografía, la	8
ocultar(se)	11	opinión, la	2	oscilación, la	18
ocupado/a	1	oportuno/a	4	oscuro/a	2
ocupar	12	opositor, el	9	OTAN, la	12
ocurrencia, la	17	optar	20	oveja, la	14
ocurrir	3	optimismo, el	20		
oficial	13	optimista	4		

P

	Unidad		Unidad		Unidad
paciente, el/la	7	Panamá	13	pareja, la	12
pacífico/a	14	pantanoso/a	18	paréntesis, el	20
pacto, el	15	papel, el	2	paro, el	1
padecer	21	papelera, la	4	párrafo, el	3
paga, la	1	par, el	10	parroquia, la	13
paganismo, el	19	parabrisas, el	10	participante, el/la	7
pagar	2	paracaídas, el	10	participar	17
palco, el	21	paradójicamente	20	particular	14
palio, el	19	Paraguay	13	partida, la	15
palmera, la	19	paralelismo, el	13	partidista	21
panadería, la	1	parar	10	pasado, el	19
panadero/a, el/la	1	pardo/a	8	pasaje, el	16

	Unidad		Unidad		Unidad
protector/a	7	próximo/a	1	público/a	13
protectorado, el	13	proyectar	2	puesto de trabajo, el	14
proteger	4	prudencia, la	5	pujante	12
protestar	10	prueba, la	1	pulpo, el	9
provincia, la	13	psicología, la	13	pulsación, la	1
provincianismo, el	19	publicación, la	20	punto, el	11
provisión, la	7	publicar	1	puntual	1
provisto/a	10	público, el	3	puntualidad, la	4

Q

	Unidad		Unidad		Unidad
que	1	quedarse de una pieza	13	quiniela, la	9
¡qué va!	1	quejar(se)	15	quitamanchas, el	10
quedar(se)	1	quieto/a	2		

R

	Unidad		Unidad		Unidad
racial	19	regional	19	responsable	4
radicar	19	regla, la	21	respuesta, la	13
raíz, la	15	regocijarse	20	restante, el/la	13
rama, la	11	regresar	6	restaurar	7
ramo, el	11	regular	18	resultar	10
rana, la	10	regularidad, la	18	resurgir, el	13
rápido/a	4	rehén, el/la	7	retener	7
raro/a	7	reino, el	12	retórica, la	21
rasgo, el	15	reír a carcajadas	12	retransmisión, la	13
rato, el	2	reiterativo/a	15	retransmitir	1
realismo, el	7	reja, la	19	retrasar(se)	9
realizar	1	relación, la	8	retroceso, el	15
rebajar	8	religioso/a	9	retumbar	8
rebaño, el	14	remedio, el	5	reunido/a	15
rebasar	18	remitir	17	reunión, la	20
recado, el	5	remoto/a	21	reunir(se)	7
recepción, la	10	remunerado/a	17	revelar	10
receptor/a	17	renacentista	16	reventar	8
recesión, la	17	renta per cápita, la	17	revolver	19
recientemente	7	reparar	10	rezar	19
recital, el	8	reparo, el	20	ribete, el	14
recitar	13	repartir	15	riqueza, la	13
reclamar	21	reparto, el	20	ritmo, el	15
recomendación, la	13	repoblador/a, el/la	14	ritual, el	21
recompensa, la	14	reponer(se)	18	rivalidad, la	19
reconciliar	9	reprender	19	robar	5
reconquista, la	20	representante, el/la	7	rock, el	1
recorrer	1	representativo/a	21	rodear	17
recorrido, el	11	reproducción, la	7	rogar	2
recreación, la	16	República Dominicana	13	rojo/a	10
rectángulo, el	16	requerimiento, el	21	romance	13
rector, el	7	requerir	14	románico/a	16
recuperar(se)	12	resbaladizo/a	1	roto/a	11
recurrir	9	resbalar	10	round, el	12
recurso, el	3	reservar	1	roza, la	15
rechazar	5	residencia	19	rozar	19
redacción, la	10	residir	12	rueda, la	9
redactar	15	resistir	11	ruedo, el	11
reducción, la	20	respectivo/a	13	rugby, el	8
referir(se)	15	respetar	4	ruidoso/a	1
reflejar(se)	19	respeto, el	13	Rumanía	13
reforzar	19	respirar	4	rumorearse	7
refugio, el	5	responsabilidad, la	15	rural	17
régimen, el	8			ruso/a, el/la	2

S

Término	Unidad	Término	Unidad	Término	Unidad
sábana, la	18	sentimental	18	sino, el	13
sacacorchos, el	10	sentimiento, el	9	sinvergüenza, el/la	18
saco de dormir, el	5	sentir(se)	2	sistema, el	13
sacrificio, el	14	señal de tráfico, la	4	sistemático/a	20
sacristán, el	13	señal, la	21	sitiar	7
saeta, la	19	señalar	16	situación, la	2
sal, la	3	señorío, el	14	snob, el/la	12
sala de conferencias, la	14	sepulcro, el	7	soberanía, la	12
sala de fiestas, la	9	ser capaz de	8	sobrar	10
salirse del tiesto	13	ser cuestión de práctica	14	sobrecarga, la	9
salud, la	2	ser de buena pasta	14	sobrepasar	21
saludo, el	21	ser de buena/mala familia	14	sobrevivir	20
salvamento, el	18	ser de tomo y lomo	14	socavar	21
salvar	2	ser el ojito derecho de	18	social	10
salvo/a	3	ser el pan nuestro de cada día	14	socialista	13
salvoconducto, el	10	ser harina de otro costal	14	sociedad, la	15
sanamente	4	ser hombre de honor	14	solamente	21
sándwich, el	12	ser hombre de pelo en el pecho	14	soldado, el/la	11
sangre, la	8	ser más claro que el agua	14	soleado/a	16
sangría, la	9	ser más el ruido que las nueces	14	soler	1
sangriento/a	21	ser más listo que el hambre	14	solicitar	1
sanitario/a	7	ser muy suyo	14	solidaridad, la	21
sano/a	3	ser pájaro de mal agüero	14	sólo	7
santiamén, un	10	ser persona de fiar	14	soltero/a	14
santo, el	8	ser un cabeza loca	14	solterón/a, el/la	14
santo/a	19	ser un cero a la izquierda	14	solucionar	1
sardana, la	19	ser un deslenguado	14	someter	14
satélite, el	7	ser un facha	14	sonar	15
satisfacción, la	10	ser un hueso	14	sordo/a	6
satisfactorio/a	21	ser un rollo	14	sordomudo/a	6
satisfecho/a	8	ser un veleta	14	sorpresa, la	5
secar(se)	5	ser uña y carne	14	sospechar	19
sección, la	1	serie, la	16	sospechoso/a	7
secretario, el	7	seriedad, la	21	sótano, el	7
secreto/a	18	serio/a	14	súbdito, el	15
sector, el	17	servicio, el	12	subir	5
secular	15	sesión, la	2	subsiguiente	15
secundario/a	12	sexo, el	17	subsistir	13
seda, la	14	si bien	10	suceso, el	11
sedante, el	9	siglo, el	8	suela, la	11
sede, la	15	significación, la	20	sueldo, el	1
sefardita	13	significancia, la	20	suficiente	4
segmento, el	20	significar	9	sufrir	21
seguro, el	1	significativo/a	21	suicidio, el	11
seguro/a	3	signo, el	12	sumir	14
seleccionar	8	siguiente, el/la	6	superar	3
sello, el	12	silencioso/a	12	superávit, el	12
semáforo, el	5	símbolo, el	7	superior	12
Semana Santa, la	13	simultáneamente	15	superiora, la	12
semejante	3	sin	6	superioridad, la	19
semejanza, la	13	sin duda	14	suplicar	2
semilla, la	15	sin embargo	10	supranacional	9
sensación, la	20	sinceramente	8	suprimir	4
sensacionalismo, el	20	sincero/a	1	surgir	11
sensacionalista	20	sindicato, el	21	suspender	5
sensibilidad, la	20	síndrome, el	20	suspensión de pagos, la	1
sensible	16	singular	16	sustancialmente	20
sentido, el	4			susurrar	19